"Grappig en sterk"

"Erg origineel en leuk om te lezen"

JANUSKOP

"De scheldwoorden die Janus bedenkt zijn echt geniaal"

"Heel herkenbaar voor veel jongeren"

"De manier waarop Janus met zijn klasgenoten omgaat, zowel in Braniejanus als in Droomjanus, komt erg realistisch over"

Januskop

Johan Zonnenberg

JANUSKOP

**ZILVER
BRON**

Wie dit boek geschreven heeft? Dat is JOHAN ZONNENBERG, die bekend staat om zijn originele en onconventionele verhalen. Hij is dan ook al vaak in de prijzen gevallen en publiceerde eerder de aangrijpende en spannende roman **Stella A-Z** bij Zilverbron. Voor meer informatie over hem en andere (jeugd)boeken kun je terecht op boekenshowcase.nl en op zilverbron.com/auteurs/johan-zonnenberg.html.

© 2014 Johan Zonnenberg
© 2014 Zilverspoor/Zilverbron
Alle rechten voorbehouden

Omslagontwerp: Studio Zilverspoor
Illustratie omslag: Vectomart/shutterstock.com
Grid omslag: Lukas Majercik/shutterstock.com
Janus lettertype: Banana Republic images/shutterstock.com

Typografie: Studio Zilverspoor
Redactie: Jos Weijmer

ISBN 978 94 9076 783 9
NUR 284, 285

www.zilverbron.com
info@zilverbron.com
Facebook: zilverbron
Twitter: @Zilverbron

Droom maar lekker verder, Romeo!

1

Je moet niet gaan lachen. Ik heet Janus. Da's toch geen naam? Dat komt zo. M'n vaders hobby was klassieke goden of zoiets. Daar gaf hij ook les in. Aan van die studentjes die dat leuk vinden. Praten over mensen die nooit bestonden. Dommer kan toch niet? Toevallig werd ik in januari geboren. Dat kwam mooi uit, vond m'n vader. En dan zei hij later tegen mij, alsof hij het aan z'n stuudjes vertelde: 'Janus betekent het begin van de vrede.' Ik wil niet veel zeggen, maar toen was het wel meteen oorlog thuis.

Mijn moeder vond die naam maar niks.

'Dat kun je ons kind niet aandoen.'

Maar m'n vader kreeg zijn zin. Zoals altijd. Dus heet ik Janus. En op deze school noemen ze me meestal Januskop. Niet dat dat wat uitmaakt. Hoe ze me noemen, daar heb ik de scheve schijt aan.

Op de basisschool wou ik opeens Jacco heten. Vond ik zelf wel wat hebben. In ieder geval een stuk beter dan Janus. Thuis bleef het natuurlijk Janus. Alleen, toen m'n vader ervandoor ging, dacht ik: 'Yes, nu kan het! Voortaan heet ik overal Jacco.' M'n moeder vond het best. Trouwens, die was zo met zichzelf bezig, die vond alles goed.

Eigenlijk gek, bedenk ik opeens. Alles zit net omgekeerd. M'n vader is er, ik heet thuis Janus en op school Jacco. M'n vader is weg, ik heet thuis Jacco en op school Janus - of nog erger.

Toen ik naar de brugklas ging, was het nog gewoon overal Jacco. Niks aan de hand. Maar op de eerste dag ging het al mis. Ik ging naar het gymnasium. Ja, ja, ik heb de brains van m'n pa! En niet alleen dat, volgens m'n moeder. Nog meer. Meer dan me lief is. Maar ja, wat zij over me rondslingert, dat slaat nergens op.

Die maffe meester van groep 8 vond "het wel wat hoog gegrepen" dat ik naar het gym wou. En "zou Jacco de uitdaging wel aankunnen?" Alleen, m'n Citotoets was super. Ik was de klapper van de klas. Zelfs Floris had een lagere score. Dat was kicken: beter dan Floris het slimpie van de school! Hij zit op schaken. En hij gaat wel eens met z'n moeder bridgen. Dat doe je met z'n tweeën tegen twee andere diepe denkers. En als z'n vader niet kan, dan gaat Floris. Zie je het voor je? Geef mij maar wargames.

Nou ja, ik dus naar het gym. Onderweg naar de knallende kennismakingsles van 't gym flitst de vraag door m'n hoofd: wat zou m'n vader nou van me denken? Maar dat boeit niet. Hij heeft er geen reet meer mee te maken, met wat ik doe.

In het lokaal kijkt m'n mentor rond alsof hij blij is met ons, ook al zijn we met z'n tweeëndertigen. En wat zegt die suffe mentor bij het voorlezen van de namen? Je voelt'm al aankomen!

'Wat leuk, ik lees hier dat je Janus heet.'

Dat is dan míjn geluk. Geeft m'n mislukte mentor "kunst en cultuur" en houdt hij ook van die klassieke goden. De klas begint hard te lachen. Ik laat me niet kennen en zeg heel cool: 'Ja, ik ben Janus.'

Maar intussen is m'n hoofd toch iets roder dan anders. Roept Floris - het feest kan niet op, weet je, zit die flapoor flippo ook nu weer bij me in de klas - 'Janus, wat een kop krijg je!'

Ik word zo gruwelijk giftig op die eikel. Ik zeg tegen hem: 'Zie je ook eens wat een Januskop is, kloris!'

Eigenlijk heb ik het dus zelf gedaan. Vanaf dat moment heet ik Januskop. En Floris is nu Kloris. Voor altijd. Tot ik die nerd z'n nek omdraai.

M'n vader is vijf jaar geleden stiekem vertrokken. 'Met de noorderzon,' zegt m'n moeder. Volgens mij is hij gewoon naar het zuiden gegaan. Daar is het lekker warm. Op vakantie gingen we altijd naar Italië en Griekenland. Toen het nog goed was tussen die twee. Ging hij graven naar die goden van hem. En wij lagen lekker bij het zwembad of aan het strand. Echt relaxed.

Als we terug naar huis moesten, had m'n vader nooit zin. 'Terug naar dat kouwe kikkerland,' zei hij dan met een gezicht alsof hij haring met suiker moest eten.

Nou, het was zelf een kouwe kikker. Anders had hij ons nooit in de steek gelaten. Wat een klamme klojo!

M'n moeder houdt het nog steeds niet droog als ze aan hem denkt. Zitten we te eten, dan zie ik het al aankomen. Zeg ik: 'Gatver, dat lust ik niet!' Zegt zij: 'Dat wou die vader van je ook nooit eten.'

Bij haar is het dan nooit "je vader", maar altijd "die vader van je". Op de rest kan je gif innemen. Ze schiet helemaal vol. Ogen lopen over. Ze rukt een zakdoekje uit haar mouw. Rent naar de keuken. Gaat daar gooien met de pannen. Zakdoek is intussen vol. Snottert dan verder in de keukenrol. Alsof ze flink is! Nee echt, wat een huiltrui is dat als het over m'n vader gaat!

Loop ik naar de keuken toe. Zeg dat ze allemachtig blij mag zijn dat die dropdreutel de deur uit is. Krijg ik ook nog mot met m'n moeder.

'Je moet wel beseffen over wie je het hebt. Het is en blijft je vader.'

'Mooi niet,' zeg ik. 'Voor mij is het een lamme loser. En losers lust ik niet.'

Zeg nou zelf. Je sluipt stilletjes het huis uit. Laat je gezin in de stront stikken. Ben je dan een loser of niet? Voor mij heeft hij totaal afgedaan. Voor m'n moeder niet. Als hij met een goddelijke glimlach op z'n gezicht opeens voor onze deur stond, zou ze hem zo weer binnenlaten. Zeker weten.

'Hij is met stille trom vertrokken,' zegt m'n moeder tegen anderen - als ze er al over praat. Ja, ja, met stille trom naar de noorderzon. Lachen, want daar hebben ze vast heel veel ijs. Van mij mag hij er dik doorheen zakken. En dan lekker stom met z'n trom in een wak blijven hangen. Steeds stiller.

2

VWO

Lessen zijn echt niet om te lachen. Die docenten, wat een droge dufhoofden zijn dat. Bijna allemaal van die verdwaalde vrouwen ook nog. Ze komen het lokaal in alsof ze de weg kwijt zijn. Kijken ze naar onze ballenbak van een brugklas met een blik die ik ken. Mijn moeder kijkt precies zo als ze aan mensen vertelt dat ze al jaren alleen is. Ik tel dan even niet mee. En aan het einde van de les lijkt het wel of ze in de storm hebben gelopen en nog steeds niet weten waar ze zijn. Zelfs hun haar zit in de war. Daar hebben ze met hun handen de hele les in gezeten.

Dus als je er zelf niks van maakt, wordt het nulkommanul. Af en toe een schetterende scheet, vooral als de ramen nog dicht zijn, of een braakboer, en dan roepen 'Kloris, wat doe jíj nou!'

Wat ook werkt is wanhopig blijven roepen 'Ik begrijp het niet!', al is het tig keer uitgelegd. Of aan het begin van de les vrolijk vragen 'Juf, gaan we deze keer eindelijk eens iets leuks doen?'

En ja hoor, hup, de handen in het haar.

Ik zit in m'n eentje achterin. Kan ik mooi dwarszitten. Kloris zit voor me, altijd veilig op de punt van z'n stoel, want als hij achterover leunt is hij de pineut. Kauwgom in z'n gel, passer in z'n bil, die er nooit meer uit wil. Wat kan dat joch strak schreeuwen, als een streep.

Pas kregen we een nieuwe voor de klas. Vervanger van de Franse juf die na drie weken al met burnout thuis bleef. Die was snel opgebrand! Een juf met een kort lontje dus, maar dat hadden we in de les ook al gemerkt. Frans vloeken gaat nu vloeiend. Alleen schrok onze scheldmuts zich scheel toen ik in haar laatste les van achteruit de klas terugschold. En ik deed niets meer dan tegen haar zeggen wat ze de afgelopen lessen steeds naar ons had geroepen.

Ze viel stil, hapte naar adem als een vis op het droge en haalde allebei haar handen door het haar. Toen ging de bel en liep ze verdwaasd voor de klas uit naar de gang, alsof ze voorgoed verdwaald was. Maar ja, de weg naar huis heeft die Franse friettrien vast kunnen vinden, want we hebben haar nooit meer teruggezien.

Nou, op het moment dat de onderdirecteur ons Nico de nieuweling komt voorstellen zien we het al. Wat een mafkees. En wat zegt onze oenige onderdirecteur?

'Jullie mogen blij zijn dat we zo snel een waardige vervanger hebben gevonden. Als jullie elkaar met respect tegemoet treden, kan er zeker een goede samenwerking tot stand komen.'

Wat een lulmaarraak snaak. Hij weg en wij lekker los. Dan krijgt Kloris die passer in z'n bil. Met een grauwe gil springt hij op, met de passer als trillend uitsteeksel.

'Ga jij eens zitten, jongen, en wel onmiddellijk!' zegt Nico nu niet zo nieuw meer.

Kloris weigert, wit van pijn.

'Ga je dan maar melden bij de onderdirecteur,' dreigt Nico inmiddels nagelbijtend.

Dat gaat niet goed, want ik heb er niets aan als Kloris naar de onderdeur - 't is echt een kort kereltje - moet en daar gaat klagen.

'Ah, mees,' zeg ik van achter Kloris vandaan, terwijl ik de passer snel los trek, 'geef hem nog een kans. Kloris is wel een kakker, maar een aardige kakker.'

'Nou, vooruit dan', strijkt Nico z'n korte nagels over z'n hart. 'Maar, besef wel, Kloris, dat dit je laatste kans is.'

Dat is lachen, denkt Nico dat Kloris echt Kloris heet!

Pauzes zijn beter dan les, maar daar moet je wel opletten. Waar ga je staan en hoe? Waar hoor je bij? Als je alleen gaat staan, ben je een armoedige amateur. Zomaar noncha naar daboys'ndablock lopen kan je beter uit je halfgare hersens laten.

'Wat doe jij hier?! Fuck off, man!'

En dan ziet iedereen geniepig genietend hoe je de lange weg over het schoolplein terugloopt. En als je één keer bij de hardplastic lunchboxjes en drinkbekers van het gym gaat staan, ben je voorgoed softe suffe.

Gelukkig heeft m'n moeder 's ochtends geen tijd om m'n brood klaar te maken. Dat doe ik zelf en dan eet ik dat onderweg op. Of ik geef het aan eenden die plastic zakjes aankunnen.

Als ik geld heb, koop ik soms nog wat in de kantine, pardon "het schoolcafetaria". Maar nu er een andere leraar loopt te kijken, kan je niet zo gauw met het geld in je hand weglopen alsof je vergeet te betalen. "Smart-ass" wordt hij genoemd, omdat hij echt alles doorheeft. Pas heeft hij nog een groepje van het vmbo betrapt. En dat zijn toch snuggere snaaiers. Die hebben daarna als wraak achter de school zijn Smartcar op z'n kont gezet en er een beetje - nou ja, een beetje veel - mee gewiebeld. Zo'n Smart heeft daar echt een kek kontje voor. Ik zag dat toevallig gebeuren en heb toen even mee gewiebeld.

'Heeft-ie een Smart-ass car,' zei ik.

Vonden ze wel lachen. Daarom sta ik in de pauze bij hen. Dat heeft wel wat. Lekker lang staan brallen met z'n allen en zo laat en traag mogelijk terug naar de les.

Tja, na anderhalve maand is voor iedereen duidelijk wat ik de eerste dag als Januskop al van achteren en van voren zag aankomen: ik en het gym passen niet bij elkaar. Te veel klassieke goden en niet genoeg gewone gabbers, za'k maar zeggen.

M'n moeder krijgt een brief "voor een gesprek onder vier ogen over de toekomst van uw zoon Janus aan de gymnasiumafdeling van onze school". De huiverige huichelaars! Géén toekomst, bedoelen ze. En tellen kunnen ze ook al niet. Bij het gesprek zitten m'n maffe mentor, de onderdeur, m'n moeder en ik. Mag jij ongezien en zonder na te denken zeggen hoeveel ogen dat zijn.

Nou, mijn moeder nog meer van streek dan anders. In de twee dagen voor het gesprek raken we razendsnel door de voorraad keukenrollen heen. Op de dag zelf tut m'n moeder zich op alsof ze deftig en duur gaat dineren. Dat is al erg. Maar nog veel erger is, dat ze wil dat ik "iets nets aantrek om een goede indruk te maken".

'Ma,' zeg ik, 'dat is mission impossible.'

Maar het moet.

'Iets nets,' herhaalt ze als een koekoeksklok bij twee uur.

Ik krijg er zo de pest in dat ik vraag, 'Wat dacht je van het trouwpak van pa? Want dat hangt nog steeds in je klerenkast en je lucht het vaak genoeg om het zo aan te trekken.'

Dat scoort zo soepel, dat kan ik met m'n ogen dicht. Onder twee ogen met m'n moeder, als't ware. De snotterserie wordt acuut gestart. Zakdoekje uit mouw, laatste stukje keukenrol opgebruikt en daarna een tweede opmaakbeurt om de huilsporen weg te werken.

'Want zo kan ik me niet vertonen op je school.'

Ik ook niet, in m'n verlengde begrafenisbroek van naar m'n oma toen, maar daar hoor je mij niet over. Ik dim even. Draai m'n geluidsknop dicht en zet m'n blik op stand-by.

Op school doet de onderdeur het woord. Veel overbodig geouweneuzel dat "Janus de noodzakelijke motivatie en weetgierigheid mist voor het gymnasium".

Ik zit onderuit nog steeds in de ruststand. Maar m'n moeder kijkt alsof ze de hele Titanic wil redden.

'Ja,' zegt ze zenuwachtig, alsof de ijsberg toch groter is dan ze dacht, 'ik sta er helemaal alleen voor, weet u. En,' draait ze zich naar mij toe, terwijl ik toch weer even niet meetelde, 'Jacco, je moet wel begrijpen dat je het veel meer zelf moet opbrengen, nu je vader er niet is om op je te letten.'

De onderdeur kijkt even rond alsof hij iemand zoekt die Jacco heet.

Ik draai het volume voluit, want die loser wil ik gelijk lossen, en roep: 'M'n vader heb er niks mee te maken!'

'Heef,' verbetert m'n mentor, die uit Utrecht komt. Meestal mekkert hij in de les over de Olympus en die klassieke goden alsof hij er zelf op de top tussen zit. Die saaie studiebollen van het gym smullen er van.

En ik zit met de tranen in m'n ogen en m'n mond één groot gat van het gapen.

Maar een doodenkele keer komt m'n klassieke mentor van die Griekse berg af en begint hij "Uterechs" te praten. Dan is het echt lachen. Pas zei hij tegen iemand die druk met z'n pen zat te klooien: 'Laot legge, raore zaak petaat. Aas jij nie naor mijn luister, ken je straaks m'n haand op je aachterkaant voele braanden. Aon de slaag, aachterlijke glaodiole!'

De klas lag dubbel van het lachen onder de tafels en ik, ik dacht dat ik het niet meer had. Sorry, 'kdaach da'khetniemeer haad, maan. 'k Baarstte vaan het laachen, echwaor.

Wat een toffe goser is het dan.

'Heeft,' zegt mijn moeder, die niet uit Utrecht komt.

'In ieder geval is het duidelijk,' zegt onderdeur onverstoorbaar, 'dat Janus zijn schoolcarrière niet kan voortzetten aan het gymnasium.'

'Ja, als het moet en beter voor Jacco is, dan maar naar het havo,' zegt m'n moeder zacht vanachter een zakdoekje.

'Dat is helaas niet wat de school adviseert,' brengt onderdeur beslist. 'Janus mag plaats nemen in de theoretische leerstroom van het vmbo en anders is het noodzakelijk dat hij naar een andere school uitkijkt.'

Toen verging de Titanic totaal. Ten slotte ziet ook

m'n moeder met haar trage traanogen dat er niets meer te redden valt.

M'n miezerige mentor is er intussen niet meer zo bij, merk ik. Zit zeker weer met z'n hoofd in de wolken op z'n Olympus, naar die geilige Griekse goden van hem te gluren. Maar ja, die zie ik toch niet meer terug. Morgen ga ik naar de T-klas van het vmbo. Daar ken ik er al wat van, uit de pauze. Die zie ik wel zitten, en zij mij. Beter dan die stoffige stuudjes van het gym. Die zouden meer bij m'n vader passen, als hij nog in het land was, dan bij mij. Nee, aan het vmbo wordt het lang lachen, zeker weten.

VMBO

Zo, dat is vet lachen aan het vmbo! Kom ik binnen in een heibelherrie waar die slimkijkende sukkeltjes van het gym alleen maar van kunnen dromen. Op de drempel heb ik geen tijd om na te denken hoe ik zal zijn, stoer of koest. Want bij de deur zegt m'n leraar 'Hier Janus, een bril op je kop.' Voordat ik weet wat er gebeurt, schuift hij een stofbril voor m'n ogen. Trekt me naar de enige werkbank met één leerling en brult in m'n oor: 'Dit is Willem, Stille Willem.'

Willem kijkt me aan, knikt en zegt niks. Dat klopt dus. Ik kijk om me heen en denk 'komt het nou door die bril? Het is hier zo donker, het lijkt wel nacht.' Dan zie ik het. Het gym heeft van die weke witjes. Hier zijn de meesten zwart of ze hebben wel een kleurtje. Dat kunnen de lampen niet aan.

Op het gym in de kennismakingsles vertelde m'n goddelijke mentor, za'k maar zeggen, 'Jullie komen hier om te leren reflecteren.' Nou, dat konden ze, constant. De lampen hoefden daar niet eens aan, zo wit was het.

Aan het einde van m'n eerste dag weet ik het helemaal: daar heten leerlingen Fraukje, Marijke, Sietske, Boudewijn, Martijn of Floris-Jan. Ja, Kloris heet inmiddels niet meer Floris. Hij wordt door die kalekakmoeder van hem nu Floris-Jan genoemd.

Hier heten de meisjes 'chickies' en hebben namen als Daisy, Priscilla, Samantha en Sandy. De jongens worden voor van alles uitgemaakt en als er toevallig eens een naam wordt geroepen - meestal door de leraar - is het Paco, Rowan, Silvano of Wesley.

Hier hebben we alleen maar leraren. Lesgeven kunnen ze niet, maar lauw zijn ze wel. Lachen, man. Daar zijn het vooral leraressen, van die verloren vrouwen. Lesgeven kunnen zij ook niet, en lachen is er niet bij. Hier loopt alles achteloos door elkaar, daar zit alles afgericht achter elkaar.

M'n amigo's van de pauze zijn er ook. Ze maken meteen plaats. Ik hoef niet eens dik te doen om erbij te horen. In het begeleidingsuur zitten we een beetje te dollen. M'n nieuwe mentor, Rob, doet driftig mee. Roept Wesley: 'Hey Janusman, Sandy wil met je seksen.'

Ik kijk cool naar Sandy, die terugstaart alsof ik een lekker ding ben en ze roept: 'Januskop krijgt hem wel rechtop, en Wesley kan dat nevernie.' Iedereen moet lachen, ook Wesley.

Roept mentor Rob: 'Hé, doe dat maar na schooltijd. In de fietsenstalling of zo en dan graag voor de bewakingscamera. Zo heeft Co de conciërge ook nog een leuke tijd aan z'n dag.'

Ja, 't is echt lachen met Rob.

Ridder Rob, m'n mentor, is mega! Hij "begeleidt ons bij verzorging en verzorgt onze begeleiding", zegt hij zelf.

We hebben twee uur verzorging en twee uur begeleiding - per week. En door hem is het vette jus! Wat hij zegt en hoe! Je zal zo'n knoest van Nederlands als mentor hebben, of die verstrooide ICT-processor! Dan was de pot gauw vol.

Kort geleden zitten we bij verzorging aan de computer een testje te doen. Ik en Wesley werken samen. Het gaat over uiterlijk. Niks voor Wesley, want die heeft een gezicht als een ongewassen grinttegel. Maar dat roest niet. Hij is werelds met computers. Dus wij wijken uit naar internet om nog wat leuke plaatjes te vinden. Wesley weet waar. Hebben we net een knappe kiek gevonden, klikt Wesley het weg. Ik zeg: 'Krijg nou het rambam, wat doe je, man?' Staat Rob achter ons. Je ziet ze niet zo goed, maar Wesley heeft wel ogen in z'n hoofd.

Brult Ridder Rob in m'n oor alsof ik gehoorgestoord ben: 'Janus, het is dringend de hoogste tijd voor een gesprek van man tot man. Morgen de eerste pauze bij mijn lokaal.'

Ik sta op, zet m'n hand tegen m'n hoofd, zeg 'Yes, sir' en denk: 'Nou ben ik mooi de sjaak.'

Als ik de volgende dag bij Robs lokaal kom - de amigo's moeten het buiten even zonder mij doen - rent hij net op volle kracht weg.

Hij roept: 'Ga alvast maar inzitten. Snel een bakkie bocht halen, anders overleef ik jou niet.'

Ik naar binnen. Even later komt Rob terug met een bekertje dat te heet is om te hendelen. Het gaat van z'n ene hand naar de andere als bij een goochelaar die voorzichtig een nieuwe truc aan het oefenen is. Hij pakt een stoel en zet die aan de andere kant van m'n tafeltje. Vouwt z'n vingers om het bekertje heen alsof hij uit de vrieskou komt.

Dan zegt hij: 'Janus, ik heb heel wat levenservaring meegemaakt, maar iemand als jou ben ik nog niet tegengekomen. Veel van mijn collega's zien hier voor jou geen toekomst zitten, maar ik gelukkig nog wel. Ik zei pas nog tegen een paar van die mensen met een bord voor hun kop (zo noemt hij zijn collega's graag): "Volgens mij kan Janus veel beter, maar pakt-ie ons allemaal flink te grazen." Zeg nou zelf eens eerlijk, jij zit hier op school toch alleen maar te oefenen in niets doen?'

Ik geef toe dat ik aardig goed ben in niks doen en dat ook lang kan volhouden. Best wel elke les en heel de dag. Daar moet Rob om lachen.

'Weet je, Janus, ik mag je wel. Bovendien is het nog veel te vroeg om het met jou op te geven, want we hebben er echt nog niet alles aan gedaan wat er in zit. Eigenlijk denk ik dat je niet goed ziet wat er in het leven voor je zit aan te komen. Daarom doe je niets meer dan steeds maar stilzitten. Ik vertel die anderen (ja, ja, "met een bord voor hun kop", die ken ik) met een bord voor hun kop: "Het voordeel is, Janus is niet alleen stuurloos, maar ook roerloos. Daar kan je er wel een stel van hebben in je groep." Maar ja, Janus, bedenk wel: het is belangrijk om jong te oefenen in dingen met tegenzin doen; daar heb je heel je leven later plezier van. En ik kan jouw kar echt niet alleen op de rails krijgen.'

Rob stopt en kijkt me aan alsof hij wat van mij verwacht. Machtig mooi zoals hij dat zegt, toch?

Ik beloof hem dat ik beter mijn best zal doen. Ik zie z'n mondhoeken als een smiley omhoog gaan en hij vraagt: 'Waarmee, met wat je toch al zo druk aan het doen bent?' Daar moeten we allebei hartstikke hard om lachen.

Hij staat op en zegt: 'Succes, Janus. Maak er wat van.'

Wat een gave gast is Rob. Met zo iemand als vader lach je je toch elke dag het leplazarus? Die laat jou niet stikken voor de noorderzon. Zeker weten!

Bij verzorging hebben we thema's. Bij begeleiding hebben we ook van die titathema's. Wat wil nou het toeval? Ze gaan zo ongeveer over hetzelfde, mentor Rob geeft ze allebei en de lessen komen achter elkaar. Mag jij raden wat Rob verzonnen heeft en ons komt vertellen.

Trouwens, hoe hij binnenkomt, je houdt het niet voor mogelijk. Hij komt strak stralend het lokaal in, alsof hij meer dan een bak ijs heeft gewonnen bij de Postcode Loterij. Loopt vrolijk fluitend naar zijn tafel. Pakt de drie foto's van zijn kinderen die daar staan, geeft elk een dikke smakkerd en zegt: 'Zo, eerst m'n kinderen welkom kussen. Wie volgt?' Hij kijkt daarbij uitnodigend rond.

Iedereen zit te lachen, maar niemand die het durft. Terwijl de meiden in de pauze gretig hebben zitten giebelen:

'Durf jij?'

'Ik? Ik niet. Ik ben niet gek!'

'Nou, ik zie het wel met hem zitten. Grote kans dat ik het een keer doe.'

Dat is Sandy natuurlijk. Die zegt dat ze alles durft.

Nog meer overdetop gekrijs en gegiechel. Maar niemand doet het. Stelletje fiepen.

En, schiet het door me heen, het gaat die meiden wèl om seks, maar Rob gewoon helemaal niet. Die is altijd en overal vader. Ook voor ons. Ik hou snel op met denken, want dit kan ik niet gebruiken. Zie Paco al naar me koekeloeren met een blik van "hee gast, alles kits?"

Maar dan zegt Ridder Rob: 'Mensen. Effe een frissigheidje. Er zit een verandering aan te komen. Omdat verzorging en begeleiding de komende weken als 't ware bij benadering dezelfde thema's hebben, worden die lessen samengevoegd. Zo lang dat mogelijk is, kan het. Dan hebben we alle tijd om over van alles uitgebreid te diskuzeuren. En ga niet lopen kwalleballen of zitten eikelen. Als het goed gaat, mag je een tikkie eerder weg. Duidelijk en helder?'

Iedereen knikt.

'Dat begint volgende week en dan krijgen we het over relaties. Nee, Paco, doe niet zo dombo, dan krijgen we geen relaties, maar we krijgen het erover. Bovendien, jij hebt al wat met Sandy, dus dan kan je fijn als voorbeeld dienen. Tenminste, als je over een week nog de X-factor hebt voor Sandy. OK, jullie kunnen nou aftaaien. Ik zie je.'

De les - een dubbelles! - over relaties loopt anders dan iedereen dacht. Sandy heeft met iedereen zwaar gewed en gezworen dat ze het nu echt zal doen. Als Rob vraagt 'wie volgt?' zal ze naar hem toelopen en hem zoenen.

Alleen, er is iets met Rob. Hij komt het lokaal binnen alsof hij de weg een beetje kwijt is. Vindt toch de drie foto's en kust z'n kinderen, maar nu niet met zo'n overdreven snokkel. Nee, alsof ze zo kostbaar zijn dat hij ze bijna niet durft aanraken. Bang dat ze breken. Niemand zegt wat. Sandy gaat niet naar voren.

Dan kijkt hij rond, zoekt z'n glimlach en tovert hem tevoorschijn. Gelijk is het goed. Ridder Rob is terug.

En dan laten we toch een partij lawaai los! Zelfs

voor Rob is het buffelen.

'Hé, mensen, effe dimmen!' overschreeuwt hij ons ongeregeld zooitje. 'Je hoeft niet zo opgewonden over je toeren te raken van relaties. Verliefdheid is ook maar een oogkwaal en meestal duurt het tijdelijk. En besef jezelf wel, om een prins of prinses te vinden moet je heel wat kikkers kussen.'

Dat is weer ouderwets lachen. Een paar kwaken naar Paco en Sandy die zo halfomhalf bij elkaar op schoot zitten. Ik moet even denken aan m'n vader en z'n koude kikkerland. Zo te horen had die gore godengraver beter hier kunnen blijven, maar dat vertel ik straks wel. Eerst dit.

Rob zet z'n stoel midden in het lokaal en zegt: 'Kom mensen, allemaal bij elkaar verzamelen, dan kunnen we diskuzeuren over relaties.'

We schuiven op onze stoel naar hem toe. Dat schuurt zo lekker over de vloer en optillen is van vroeger. Alleen Paco en Sandy blijven achterin aan elkaar zitten. Rob laat ze even op hun eigen manier schuiven.

'Wat schiet er bij je te binnen als je het woord 'relatie' hoort?' vraagt Rob.

Daar komt maar één antwoord op, van twintig kanten: seks!

'Ho, ho,' zegt Rob. 'Ik wijs iemand aan die als eerste de spits afbijt. En die baant dan de weg vrij voor de volgende. Rowan, waaraan denk jij?'

Rowans hoofd lijkt wel radijs als hij zegt: 'Nou,

eh, eiglijk dachik aan seks, mees.'

'Mooi,' zegt mees Rob, 'in een relatie speelt dat zeker een rol mee. Had iemand nog iets anders in z'n hoofd over relaties?'

Het blijft nog stiller dan bij een toets.

'Een tong om lekker te tongzoenen. Da's echt tof,' klinkt het dan opeens verderweg, van Sandy. Applaus van dichtbij.

Rob kijkt even ontregeld maar krijgt dan de aandacht terug door te vragen: 'Welke woorden gebruiken jullie voor tongzoenen?'

Alle handen gaan omhoog, behalve die van Stille Willem.

'Oké,oké,' zegt Rob, 'we kijken of we tien verschillende bij elkaar kunnen halen.'

Dat lijkt in korter dan notime gebeurd. Rob zet ze op het bord zoals ze op hem afkomen: snavelen, lebberen, muil kluiven, kopkluiven, spuug ruilen, huighockeyen, bekpeddelen. Dat zijn er nog maar zeven. Iedereen denkt zich suf.

'Amandelen pellen,' roept er een opgelucht. Maar dan stopt het definitivo.

'Kom op,' roept Rob, 'is dat alles wat je van tongzoenen weet? Sandy, Paco, jullie zijn er zo te zien goed in. Nog iets nieuws in te brengen?'

Dat kan hij beter niet zeggen. Ik zag het al toen Rob binnenkwam, hij is vandaag niet zo flex als anders.

Sandy loopt langzaam de kring in, gaat op Rob

af en zegt: 'Ach, mees, tongen zeg je niet, dat doe je. Voel maar.'

De hele meidenwedclub gaat rechtop zitten. Zou ze het nou toch echt doen?

Sandy buigt zich voorover naar Rob en kwispelt intussen met haar tong alsof ze een jonge hond heeft ingeslikt.

Rob schuift zijn stoel zo hard naar achteren dat de krassen diep in de vloer staan. Hij pakt Sandy bij haar arm en blaft: 'Sandy, nou is het klaar en over. Je bent te ver over de grens gegaan. Ga je onmiddellijk rechtstreeks melden bij de onderdirecteur.' En hij duwt Sandy driftig naar de deur.

'Ach, mees,' zegt Sandy, die als enige niet doorheeft dat Rob regelrecht over de rooie is, 'ik was je alleen maar een beetje aan het fukken. Dat ken je toch wel hebben?'

'Weg, eruit jij!' brult Rob terwijl hij de deur openrukt en Sandy een knietje tegen haar kont geeft, 'oplazeren!'

Op hetzelfde moment roept Sandy: 'Blijf van me af, viezerik!', stort het lokaal uit en verdwijnt in de richting van de onderdirecteur.

Iedereen is nu net zo stil als Willem altijd al is. We zien hoe onze mentor met verdwaalde blik en happend naar adem zijn spulletjes pakt, ook de drie foto's, en zonder een woord te zeggen wegloopt. Ridder Rob is recht voor onze ogen van zijn paard gevallen.

De volgende dag is een actieve dag voor de amigo's en speciaal voor amigo numero uno: Paco. Die loopt rond als een ADHD'er zonder z'n medicijn. Les wordt er niet gegeven. Bij techniek zitten we een beetje te bleppen op de werkbanken, de stofbril blits boven op ons hoofd. Ik voel me zo'n Engelse piloot vlak voordat hij hoog in de lucht gaat vechten tegen een heleboel Duitsers. Zal ik winnen? Tuurlijk. Ik ben geen loser.

De leraar is intussen het lokaal uitgegaan en pakt in de hal een koffieautomaat aan. Die kaatst hem een cappucino.

Paco loopt als een desperado dik te doen met iedereen: high five, low five, broodje bral, roept 'da's poot, man' en dan weer die handen hoog en laag. Rowan en Silvano staan er steeds als bodyguard pimp bij. Stofbril voor hun ogen alsof ze niet gespot willen worden. Loop je noncha langs om iets te horen, kan je "opbokken" (Rowan) of "opzouten" (Silvano).

Bij Nederlands dezelfde meuk. Onze kinderboekenschrijver begint met goeie zin, maar merkt al gauw dat hij van ons geen gouden griffel krijgt. Dan geeft hij zich over. Laat ons in ons sop gaar koken. Gaat aan z'n tafel dictees van een andere klas bijkleuren met een boel rood.

Vlak voordat de bel gaat, staart Rowan me door z'n stofbril aan, loopt op me af en mompelt met zo'n maffiamondhoek: 'Paco wil met je praten in de pauze.'

Ik weet het nu zeker, dit zuigt.

Pauze. Paco praat op de turbo. 'Hey, Januskop, alles kits? Moet je horen, man. Sandy is er niet.' Alsof ik zo kippig ben dat ik dat niet in de kijkerd heb. 'Ze leg thuis.'

Ik denk Paco even te dollen en vraag: 'Wazzup? Heeft ze drop?'

Paco pakt het niet, kijkt me extreem verbaasd aan en zegt: 'Nee, man, Sandy kauwt alleen maar kauwgom.'

Ik zeg: 'Paco, je vat me niet. Is Sandy even lid van het rode kruis?' Vind ik zelf wel jofel gevonden. Dan breekt het door bij hem.

'Naai een kraai, man!' roept hij. 'Nee, ze leg thuis lauw te wezen. Zoals Rob d'r gebuffeld heb, dat bijt, man. Nou willen Sandy en d'r ouders Rob aanklagen bij de school. Dat-ie d'r als't ware uitgedaagd heb te tongen en toen ze dat niet wou finaal flipte. Nou ben jij nogal dik met Rob. Maar als ze jou vragen wat er gebeurd is, dan ken je dit vertellen, toch?'

Paco kijkt even om zich heen alsof hij overal microfoontjes ziet en fluistert: 'Asje dat doet, heb Sandy gezegd, mag je d'r morgen in het fietsenhok voelen en diep met'r tongen.'

Ik zie nog hoe Rob z'n spullen pakt en zonder naar ons om te kijken met stille trom uit het lokaal verdwijnt. Denk dan aan het strakke lijf van Sandy, voel mijn handen daar in plaats van Paco's gore grijpstuivers en merk bij mezelf dat er onderin wat groeit. Ik knik naar Paco dat ik in ben.

'Hatsikidee!' roept Paco. High five, low five en weer een high five.'Da's gaaf, man.'

Dat is het sein voor Rowan en Silvano om dichterbij te komen en dan lopen de topdrie amigo's naar de schooldeur, die Rowan voorop achteloos openschopt. Tussen die twee in loopt Paco als dabigboss naar binnen.

Vandaag lijkt verdacht veel op gisteren. Geen les. Ja, we zitten wel in een lokaal maar verder flink in de flexmode. We zitten in een soort wachtkamer en iedereen is kei koest. Steeds wordt een van ons weggeroepen door Co de conciërge. Die "begeleidt ons bij de arm" naar de onderdirecteur. Co kijkt erbij alsof hij z'n handboeien vergeten is maar ze anders graag zou gebruiken. Paco wenst ieder die door Co in de houdgreep wordt genomen "succes". Hij kijkt erbij als zo'n knikei van een kwismaster. Het lokaal wordt steeds leger. Die ICT-gnortel is onze oppas. Maar ook Willy Wartaal zegt niets.

Ik ga maar een beetje maf muisklikken om de tijd te doden, probeer het schoolfilter weg te krijgen. Dat valt zwaar tegen. Wesley kan dat prachtig, maar die is door Co al opgebracht. Net als ik er eindelijk doorheen ben, komt Co. Kijkt rond alsof hij een vertrekhal vol ziet, roept 'Janus' met de volumeknop helemaal open en lijkt verbijsterd dat ik hem in één keer hoor. Om nou te zeggen dat ik goeie zin heb, da's onzin. Alleen, de prijs is prettig. Je kan vast raden wat onze prijsplukker Paco bij de deur te zeggen heeft.

Co zet me in de armklem tot aan de kamer van de onderdirecteur. Tilt me daar aan één arm over de drempel en blaft de onderdirecteur 'Janus!' toe.

'Dank je, Co,' zegt de onderdirecteur. 'Je kunt je eindelijk weer aan je andere taken gaan wijden.'

Hij kijkt me over z'n leesbril aan en zegt: 'Ga zitten, Janus.' Merkt dan dat ik dicht genoeg bij ben om de bril te gebruiken en kijkt er weer doorheen. Zolang hij niet door míj heenkijkt, vind ik alles best.

'We zijn met een serieuze zaak bezig, Janus,' begint hij. 'Je klasgenote Sarah heeft een klacht ingediend tegen de heer de Ridder.'

Sarah?! Ik ben even zo de kluts kwijt dat ik vergeet te downloaden wat hij zegt. Dus Sandy heet net zo echt Sandy als ik Jacco heette. Als ik de onderdirecteur weer ontvang, hoor ik '... en je begrijpt, een schorsing zou een schande zijn voor de school en natuurlijk ook voor de persoon die het betreft. Daarom is het van wezenlijk belang dat ieder de waarheid spreekt.'

Ik kijk hem door z'n vergrootglazen aan en knik.

'Janus, wat is er die les gebeurd?'

'Nou, we hadden het over tongzoenen en toen liep Sandy, eh, Sarah bedoel ik, (waarom zou d'r moeder haar in hemelsnaam zo suf Sarah hebben genoemd?

Ze was vast nog geen vijftig toen ze Sandy kreeg!) op Rob af om te laten zien hoe dat ging.'

'Voor alle duidelijkheid, Janus, en dit is werkelijk belangrijk. Heeft de heer de Ridder daar zelf om gevraagd, Sandy dus als het ware ertoe uitgenodigd?'

Alle remmen gaan los. Ik kijk naar de onderdirecteur als naar m'n moeder wanneer we het over die dropdreutel hebben.

'Ja, hij heeft Sandy gevraagd of ze gekust wilde worden (dat klopt, als je de vorige lessen en alle leerlingen meetelt), ze liep naar hem toe, wiebelde met haar tong en zei 'Voel maar' (klopt ook nog). Maar toen ze opeens niet meer durfde (dat klopt niet), heeft Rob haar vastgepakt. Toen kregen ze ruzie en heeft Rob haar het lokaal uitgezet.' (En dat klopt weer wel. Dus het meeste klopt.)

De onderdirecteur zegt: 'Dank je wel, Janus. Ik zie dat je er nog verontwaardigd over bent. Dat siert je. En dank je wel voor je openhartigheid.'

Ik mag gaan. M'n prijs binnenhalen. Die stomme Rob! Iedereen kent Sandy toch! Die klamme klojo had dat ook moeten weten en ons daarna niet zo stilletjes in de steek moeten laten! Nooit gedacht dat Rob ook zo'n loser was. Ik hoor de bel van de tweede pauze en taai af naar het schoolplein.

Opeens is iedereen amigo. De hele klas staat als een kleffe klont bij elkaar. Sandy is er ook. Stilletjes tegen Paco aangeleund. Wat een bankstel zijn die twee.

Roken mag niet, maar een paar staan stiekem teer te zuigen. Paco kijkt me aan, ziet dat het goed is. Aan het eind van de pauze gaan we allemaal als een kudde koeien naar verzorging. Alleen Sarahaha gaat niet mee.

Bij verzorging worden we opgevangen door de onderdirecteur die ons vertelt dat het verzorgingsuur en het begeleidingsuur vandaag tot zijn spijt komen te vervallen.

'Ik wens jullie sterkte na deze bewogen dag. Als je er thuis over vertelt, wil je dan meteen zeggen dat de school een brief hierover naar de ouders zal doen uitgaan waarin een en ander wordt toegelicht. Wel thuis.'

Terwijl hij dat zegt, voel ik mijn trilmobiel. Ik lees onder m'n tafel een boodschap van Paco: met sandy kendie.

Als ik omkijk zie ik hem vet grijnzen naar me en allebei z'n duimen opsteken: toi, toi, toi.

Heel even denk ik: wil ik dit wel? Maar dan denk ik terug tegen mezelf: je kan het niet maken om nu te lossen. Tuurlijk wil je dit!

Weet je wat het is, je weet niet wat het wordt. Neem nou Sandy. Toch nooit in m'n Januskop opgekomen dat ik naar het fietsenhok zou lopen met naast m'n trilmobiel een flitspaal op actief? En dat allemaal omdat Sandy wel wat met me wil, al is het maar voor even. Alleen, je weet nooitentenever hoelang even duurt. Zeg nou zelf.

Sandy staat bij haar fiets te klungelen met haar slot. Ik zeg:' Hey, Sandy, kan ik een handje helpen?'

Sandy kijkt verrast op: 'Nee, Janus, jouw handjes heb ik echnie nodig. Wat doe jij hier eiglijk?'

Als dat geen aanmoedigingsprijs voor me is, wat dan wel?

Met m'n blik op veroveren zeg ik: 'Nou, Sandy, Paco zegt dat je m'n handjes juist wel ziet zitten en dat tongen met mij je ook wel trekt.'

Ik wiebel even met m'n tong, zoals Sandy dat bij Rob deed, alleen niet zo oversekst. Ik krijg een zwaar gevoel dat Paco een prutser is.

Sandy barst los: 'Zohee, heb die gluiperige gruiskop dat gezeg?! Die draadezel mot me niet dissen. 'k Ben geen hoer!'

Ze rukt haar fiets zo wild tussen twee andere vandaan dat die nooit meer verder kunnen rijden. Maar voordat ik wat ook maar terug kan zeggen, kijkt ze me opeens lekker lief aan en komt tegen me aan staan.

'Hoho,' denk ik, 'er kan zo veel dat niet kan, je houdt het niet voor mogelijk.'

Ik pak met m'n handen die twee warmebroodjes aan haar achterkant en ben vast van plan de voorkant dadelijk ook nog aan te pakken.

Sandy kijkt me dromerig aan en doet haar lippen half open. Ik droom driftig met haar mee. Dan komt ze met haar tong m'n mond in en ik krijg er een brok van in m'n keel. Letterlijk. Want wat heeft die muffe muts gedaan? Ze heeft haar klamme klont kauwgom helemaal tegen m'n stembanden aan gestoken met haar tong.

Ze kijkt me triomfantelijk aan en zegt: 'Goed kauwen, Januskop. Als Paco aids heb, dan krijg jij het ook.' En Sarah lacht.

Nou ben ik een koele kikker (m'n moeder zegt wel eens: 'Daarin lijk je op die vader van je.' Maar ja, als m'n moeder eens wist hoe het zat, dan zou ze dat niet uit d'r keel krijgen.) Ik hoest de kauwgom los uit m'n strot, kijk Sandy met een diepvriesblik aan. Dan kwak ik die klomp kauwgom met een kletsende klodder op d'r ene schoen en zeg: 'Sandy, wat ben jij een smerige slijmslak.'

En ik loop straal langs haar heen het fietsenhok uit.

De dag erna valt de onderdirecteur bij Nederlands binnen. Iedereen happy want daardoor gaat het dictee niet door. Bij de deur zoekt de onderdirecteur even naar het lichtknopje, maar dan ziet hij dat het licht al aan is.

'Jongelui,' zegt hij over z'n dikke brillenglazen heen, 'ik kom met een trieste mededeling. Voorlopig komen de uren verzorging en begeleiding te vervallen totdat we een waardige vervanger voor de heer de Ridder hebben gevonden.'

Iedereen probeert z'n blije blik te verbergen. Vrij

is vrij en da's niet niks.

'De heer de Ridder heeft een paar dagen geleden het verdrietige bericht gekregen dat één van zijn kinderen erg ziek is en dat die ziekte van dien aard is dat hij er waarschijnlijk niet meer van zal genezen. Jullie leraar, de heer de Ridder, heeft gemeend er goed aan te doen met onmiddellijke ingang zorgverlof aan te vragen om zijn kinderen - en het ene kind met name - de komende tijd full-time te kunnen verzorgen. Wij wensen hem daar veel sterkte bij. Een brief hierover is inmiddels naar jullie ouders verzonden. Zijn hier nog vragen over?'

Iedereen zit star stil te zijn. Sommigen kijken automatisch naar de plek waar Sandy altijd zit, maar die is er niet. Kennelijk haar voorraad kauwgom aan het bijvullen.

'Mochten jullie het adres van de heer de Ridder wensen voor een persoonlijke reactie, kunnen jullie dat voor deze keer verkrijgen bij de administratie,' besluit de onderdirecteur en hij zoekt de deur weer op.

De rest van het uur heerst er een begrafenisstilte. Niemand durft wat te zeggen, alsof iedereen voor Nederlands nog moet inburgeren.

In de pauze besluiten we met z'n allen dat het maar goed is dat Rob thuis blijft. Hij is vast beter als "begeleidende verzorger" voor z'n kinderen, dan in ons "verzorgen bij begeleiding". Hebben die kinderen tenminste heel de dag een vader aan huis.

Één ding weet ik zekerder dan zeker: die patser van een Paco ga ik zo ploertig pakken. Definitivo. Dan maar geen amigo. Als het niet anders kan, ben ik hier nog liever net zo in m'n uppie als op het gym.

4

VRIENDEN

Wat een stel snuggere sjonnies zijn die amigo's. Niet dat het mij jeukt. Sinds Sandy sta ik in de pauze niet meer schouder aan schouder met Paco. Maar hij ziet er niet beroerder uit dan anders, dus aids zal hij wel niet hebben. Sandy (Sarah! Nou ja!) kauwt niet meer op onze school.

'Haar ouders hebben gemeend er goed aan te doen haar een nieuwe start te gunnen op een andere school,' zei onze dikkeglazendeur.

Dus Paco moet nou op eigen benen staan. Rowan en Silvano kijken alsof ze hem daarbij helpen. Wesley en ik hebben van plek geruild ('gerolen' zegt Wesley everenalways). Wesley staat nu dus dichter bij numero uno.

Maar dat wou'k allemaal niet vertellen. De maffia-aantjes staan emmers onzin vol te praten over jatten. En ja hoor, van 't een komt het ander. Paco doet dik en zegt dat hij wel wat "electronica" wil kabassen.

Als Sandy tegen hem aan had gestaan, had die wel gezegd: 'Ah, Paco, kenje niks leukers verzinnen?' Dan had ze haar kauwgom naar achteren gestopt (voor hem wel) en was ze vast heftig met hem gaan snavelen. Tot voorbij de bel. Nou is ze er niet.

Iedereen vindt het gaaf wat Paco brengt en geeft hem gul applaus. Wesley wat onwennig. Het volgende tussenuur van verzorging gaat het gebeuren, bij Phototronic een paar straten achter de school.

Ik zeg 'Hebben jullie een plan?', maar dat is in de lucht geschoten. Niemand schijnt het te snappen. Wat een vago's zijn die amigo's. Als je gaat snaaien moet je eerst je brains uit stand-by halen, anders heb je straks modder voor de goal, toch? Kan je je pasgebietste buit vanuit een cel bekijken.

De gappers gaan op weg naar Phototronic. Moeders met peuters steken snel over als ze ons aan zien komen. Wat denken die nou? We zijn toch geen pedo's? Maar, met z'n allen breed lopen brallen geeft wel een goed gevoel.

Ik loop achteraan, schop Wesley tegen z'n kont en zeg tegen hem: 'Hey, Wes, je kan er donder op zeggen dat Paco straks met mij naar binnen wil. Want ik kan kijken en kletsen tegelijk. Jij blijft bij het trilautootje bij de opening staan alsof het joch dat daar zekerweten in zit jouw gouwe broertje is. Begrepen?'

Wesley zet zulke grote ogen op, dat ze zomaar te zien zijn. Hij knikt.

'En als we straks langs de kassa komen, ga jij tussen de deuren staan. Dan kunnen die niet dicht. Vat je'm?'

Wesley knikt weer ja, deze keer alsof de olie van diep moet komen.

Phototronic heeft twee uitgangen. Rowan en Silvano blijven bij de ene uitgang buiten staan opvallen. Wij lopen om naar de andere. Wesley stopt daar bij het speelautootje en kijkt het joch erin aan alsof hij zijn verloren broertje heeft gevonden.

Paco en ik lopen door een klaphekje met zo'n pijl. Dacht die eigenaar nou echt dat we anders zouden verdwalen? Ik pak een mandje en leg daar mijn plastic tasje in (m'n schoolspullen heb ik clever in m'n kluisje gestopt). Paco wil een digitale camera, ik een webcam. We kijken naar aanbiedingen, want de rest zit goochem achter glas. Ze hebben zelfs een TomTom afgeprijsd voor ons klaar staan. Die gaat gauw in de basket! De webcam doe ik alvast in het plastic, dan hoeft die dadelijk niet meer ingepakt te worden. Je moet het personeel helpen waar je kan.

Paco pakt een heel fraaie camera en laat die in zijn jaszak glijden met een blik van "zien jullie dat? Ik ben aan't jatten". Ik sta veilig wat verder er niet bij te horen. We lopen achter elkaar aan naar de kassa. En dan voer ik m'n meesterplan uit. Ik neem m'n tasje in m'n hand. Geef Paco het boodschappenmandje en zeg: 'betaal jij even?' Ik loop langs de kassa alsof ik niks gekocht heb. Paco is even van de wap en loopt achter me aan. Het alarm gaat, ik roep: 'Paco, jij die kant op!' en duw hem naar de uitgang bij Rowan en

Silvano.

Zelf spurt ik als een professionele sprinter naar Wesley die niet meer naar z'n stiefbroertje omkijkt maar de deur open houdt. Het kan niet mooier. We staan buiten en de deuren schuiven schitterend dicht.

Door het glas heen zie ik Paco aan de - voor mij - goeie kant van de andere dichte deuren staan, met z'n mandje aan z'n handje. En met z'n bodyguards die hem van buiten naar binnen gaar staan aan te gapen. Dabigboss zit opgesloten en de baas komt er dreigend aan.

Paco is de pineut - en niet alleen met een gestolen digicameraatje maar ook nog eens met zo'n stomme TomTom. Dat tikt lekker aan bij de cops.

Dit is mega-masterlijk. Wat heb ik die Paco prachtig te pakken!

Ik hou me gedeisd bij Wesley en zeg tegen hem: 'Sodeju. Nou hebben ze Paco bij de kladden. Kom op. We gaan ervandoor. Maar losjes, man, niet rennen.'

Terwijl we weglopen, geniet ik werelds door aan Wesley te vragen, 'Wes, kan jij een webcam installeren?'

Wesley knikt alsof hij heel de dag niets anders doet. 'Tuulijk,' mompelt hij, 'keb erook een voor me moeder ginstalleerd.'

Dan laat ik hem wijs m'n webcam zien en we lachen de hele weg terug naar school.

Wesley gaat na school met me mee om de web-cam te installeren. Voor hem een eitje. Wat is die wijs met computers. Wesley de Wiz noem ik hem - en dan glanst hij als een grinttegel in de regen.

M'n moeder is aan het werk. "Centjes verdienen", noemt ze dat en dan kijkt ze me vertederd aan alsof ik haar allerliefste baby ben.

Af en toe denkt ze dat ik nog in de luiers lig en dan opeens ben ik haar "grote kerel". Zegt ze van die zware onzin als 'ík zou het wel weten als ik nog een jong meisje was' en kijkt me aan als Sandy vlak voor die kauwgom tegen m'n stembanden.

Nou ben ik de laatste maanden ook aardig actief geweest in het groeien. Da's vast doordat ik verder zo superrelaxed ben. Alle energie is gaan zitten in het groter worden. Druk, druk, druk.

'Je lijkt wel een jonge god,' draaft m'n moeder door tegen me. Dat is goed op de grens. Als ze 'Griekse god' zou zeggen, was er stront tot aan het plafond.

Hè, hè, we zijn er. Ik wou het al steeds over die droeve dropdreutel hebben en nu kan het.

M'n kamer is eigenlijk de kamer van m'n vader. Van voor z'n kouwe start richting noorderzon, zeg maar.

Toen ik naar het gym ging, zei m'n moeder: 'Ga maar op de studeerkamer van die vader van je. Daar vind je vast van alles waar je straks plezier van hebt.'

Ze moest eens weten hoe waar dat is.

Van onder tot boven heb ik allemaal brave boeken om me heen. Uitzicht op - even kijken of ik het goed zeg - twaalf dikke delen *Van Achilles tot Zeus, een beknopte beschrijving van de Griekse goden en halfgoden.* M'n pa noemde Zeus altijd "dzuis". En als wij het fout zeiden, was de Olympus te klein. Daardoor zag m'n maffe mentor van het gym me eerst wel zitten, want ik kon het gelijk goed uit m'n strot krijgen. Verder staan er een tv, video, dvd-speler en geluidstoren. Ja, ja, m'n pa wist wat stevig studeren was.

Dus nou zit ik vaak te chillen met m'n boots maatje vierenveertig op zijn bureau. 'k Moet zeggen, dat heeft wel wat. Het voelt minimaal halfgoddelijk, zeker weten.

Nou wil 't toeval dat ik een keer "jonge god" zit te zijn aan zijn bureau en daar botst m'n blik op iets bizars. Naast die twaalf delen staan vijf boeken met dezelfde titel: *In Watermelon Sugar* van ene Richard Brautigan. Ik vraag 's avonds, nadat ik m'n bord vol halfgare spruiten met een blik van "dat kan je me niet aandoen" opzij heb geschoven, aan m'n moeder: 'Wat had pa met Richard Brautigan?'

Dat is niet slim, want zo duurt het een eeuwigheid voordat er iets uit m'n moeder komt behalve gesnik en gesnotter. De zakdoekjes en de keukenrol. Afijn, je kent het intussen wel. Ik dus achter haar aan naar de keuken. Kom ik daar ook weer eens.

Tussen het geratel met pannen en deksels door zegt m'n moeder: 'Die vader van je was helemaal weg van de nineteensixties en vooral van één boek, iets met Watermelon...'

*'In Watermelon Sugar,'*zeg ik, want ik heb het net vijf keer gezien.

'Ja, zoiets. Op die gezellige kleine marktjes in het buitenland ging hij als een streep naar de boeken-stal en zocht dan dat boek. Als hij er een vond was heel de vakantie gelijk geslaagd. Thuis las hij het dan weer als nieuw. Dan zette hij Donovan op, vooral *Universal Soldier* en dan zong hij het einde luidkeels mee: this is not the way we put the end to war.'

M'n moeder rilt alsof het koud in huis is.

'Dus zo werd het oorlog tussen jullie.'

Faliekant fout!

Door de kou heen spuwt m'n moeder vuur naar me: 'Dat die vader van jou een verlate hippie was, betekent nog niet dat we oorlog hadden! Hij had wel zo z'n eigenaardigheden. Maar dat heeft iedereen.'

Ik kijk intussen in de kastjes voor een nieuwe keu-kenrol. De andere gaat erg snel vanavond.

Terug op m'n kamer pak ik die vijf boeken uit de kast. 't Is echt zo, de omslagen zijn anders, maar verder zijn ze helemaal hetzelfde. Wat moest die af-gestudeerde leegschedel met vijf dezelfde boeken? En ze dan lezen alsof ze elke keer nieuw waren! Ver-late hippie?! Hij was toen niet eens geboren! Wat een banaalpaal!

Ik wil de boeken terugzetten en zie dan achterop de plank een paar dozen liggen. Ik kan er net niet bij, dus ik grijp ook de Griekse goden bij het kaft en zet alle twaalf delen even weg. M'n mond valt ver open van verbazing. Ligt daar een hele videotheek voor volwassenen! Films met kieteltitels als *Dreamgirls*, *Onderwatersnokkelen* en *Met mijn waldhoorn tussen jouw alpen*. Ze hebben plaatjes die ze bij Poolparty zeker weten niet mogen uitzenden. M'n vader een verlate hippie of kouwe kikker? Overhete bliksem, zullen ze bedoelen. Dat zijn zwaar zuigende zaken. Je bent getrouwd, hebt een kind en dan kijk je naar zulke ranzige rukkers en hitsige hijgers. Dan ben je toch van de plaat geschraapt? Wat een geile gepekop!

Mooi kans dat die snatser op vakantie helemaal niet naar die dode goden ging graven, maar daar met zijn eigen dreamgirl onderwater ging snokkelen. Alleen aan een ander strand dan wij.

Als ik daaraan denk, draait het door. Nou maar hopen dat m'n moeder er niets van weet. Laat staan dezelfde kunstjes moest flikken als die afgekloven alpenamateurs. 'Hij had wel zo z'n eigenaardigheden.' Ja, best wel! Ik zet de denkknop op uitschakelen en ga maar zo'n 18+filmpje bekijken. Lachen tot ik geen lucht meer krijg.

En nu Wesley de Wiz m'n webcam heeft "ginstalleerd", kijken we met z'n tweeën naar die tinneftroep en lachen we er samen dubbel zo hard om. Alleen, Wesley kijkt er met z'n kleine kraalogen naar alsof hij het kent. Hij zal toch niet ook zo'n vader hebben?

Eerlijk gezegd, na twee filmpjes hebben we de scene wel gezien. Stelletje kwijlende kwabberbekken. Een les aan het gym is nog opwindender, echt waar. Dus ik en Wesley kijken alsof we genoeg gewerkt hebben aan ons project en leggen de frikandellenfrommelaars weer achter Richard Brautigan (5x!).

We lopen naar Wesley's huis. Als je met Wesley loopt, kan je driftig doorstruinen. Mensen die Wesley zien, schieten schichtig naar de overkant alsof ze daar heel nodig moeten zijn. In notime zijn we bij hem. Ik wil wel weten wie Wesley in elkaar geknutseld hebben. 'k Bedoel, naar welke bouwmarkt zijn ze geweest? Die is nu faliekant failliet, volgens mij.

De deur gaat open en grote geilige Griekse goden! Wat een strak stuk is die moeder van Wesley! Als je haar ziet en Wesley ernaast, dan heb je één ding goed in de smiezen: die vader van Wesley heeft veel op z'n geweten. Sodeju, als zij meedoet aan de seX-factor wint ze zelfs met een jury die eerst nog nodig bij Hans Anders langs moet. Zoals ze beweegt en kijkt. Man oh man! En hoe ze praat en wat ze zegt!

'Zo, Djeenus, (dat heeft nog niemand gezegd! Zo wil ik voortaan altijd heten!) ik heb veel over je gehoord.'

Zoals ze dat zegt. Zohee, ik word totaal uit standby geactiveerd. En dan heeft ze een T-shirt aan, dat wil je niet geloven. Dus ik blijf ernaar kijken om helemaal hard te krijgen dat dit heel echt reality is. Dat ik niet toevallig verdwaald ben in een soort second world.

Op haar T-shirt staat "Watermelon Woman". En weet je, ook al draagt ze geen bh, de tekst bolt blits. Bovendien gebeurt er iets bijzonders. Je hoeft je screen niet op 150% te zetten om te zien dat er eigenlijk "waterOmelon womOan" staat.

Wat wil't geval, Wesley is zo gewend aan't uitzicht, die loopt zonder wat te zeggen door naar z'n kamer. En ik ben even total lost voor woorden.

Met m'n bek vol tanden trek ik een grote winnaarsgrijns. Je moet toch wat. Terwijl ik haar voorbij loop blijft m'n blik zo aan het Watermelon Woman plakken dat ik m'n nek ervan verrek.

Wesley's moeder moet lachen en vraagt me: 'Weet je waar dat van is, Watermelon Woman?'

Ik flap er bijna uit 'ik wou dat het van mij was', maar hou me nog net in.

'Ja,' zeg ik cool, nou ja, zo cool mogelijk, 'van Richard Brautigan.' Heeft "die vader van me" toch nog nut.

De prijs die ik daarmee win is prachtig. Ze kijkt me aan met geweldig grote ogen - die van Wesley kunnen er zo wel baantjes in zwemmen zonder de kans te lopen de kant te raken - en zegt: 'Kijk eens aan, Wesley heeft eindelijk een intellectueel vriendje gevonden. Richard Brautigan... Nee, dit komt van Santamaria: *Watermelon Man*. Heerlijk opwindende muziek. Alleen vond ik dat "Man" wat minder bij me passen.'

Ze lacht en maakt een paar salsabewegingen waardoor alles in me meebeweegt. Ik voel weer iets groeien dat bij die dropdreutels dvd's maar niet wilde.

Wesley's moeder kijkt ernaar en lacht weer. Dan raakt ze me even aan, aan m'n schouder: 'Weet je Wesley's kamer te vinden?'

Ik knik en draai m'n hoofd net op tijd terug om te zien dat zijn deur dicht zit. De knop is even moeilijk te vinden, maar dan krijg ik de deur open en ga naast Wesley aan z'n computer zitten alsof er niks met me gebeurd is.

Wesley heeft zijn favoriete game al opgestart en is totaal in trance. Ik speel het spel mee en wrijf intussen nog even wat over m'n schouder. Vraag me daarbij stilletjes af wat m'n vader miste, dat hij van die duffe dvd'tjes nodig had en die rare Richard Brautigan, en weg wou bij ons.

'Maar ja, vragen heeft geen zin,' zegt m'n moeder dan tegen de keukenrol, als ze zich voor de tigste keer met een snik in d'r stem heeft afgevraagd waarom m'n vader is weggegaan.

'Waarom?' vraag ik haar.

'Hoe bedoel je, waarom?'

'Waarom dan toch steeds waarom?'

'Ja, jij doet altijd zo moeilijk, wijsneus. Heel je leven al. Geen wonder ...'

Ze spurt zo hard naar de keuken dat ze het einde van haar zin met open mond inhaalt.

Ik storm recht over de rooie achter haar aan, want ik weet akelig precies wat ze bedoelt.

'Nou dan hoef je dat toch nevernooit meer te vragen? Dan weet je toch waarom? Om mij, om mij, om mij! Zo goed?!'

'Nee, nee, dat bedoel ik niet,' huilt m'n moeder nu voluit. Maar wat ze wel bedoelt, zegt ze niet.

Ik sta tegen haar aan te schreeuwen met tranen in m'n ogen, van kwaadheid.

'Je hebt gelijk, vragen heeft geen zin en zeker niet "waarom?"' snikt ze nog wat na.

Daarna probeert ze het weer goed te maken. Noemt me steeds haar "grote kerel" en kookt zomaar dagen achter elkaar wat ik lekker vind.

Gelukkig krijg ik geen tijd om daar nog verder over door te denken. Wesley rukt dreigend op met z'n legers.

Al vechtend trek ik me terug naar mijn meest favoriete beeld van het laatste half uur: Wesley's moeder.

Even later komt ze mij en Wesley wat te drinken brengen. In mijn verhitte toestand kan ik wel iets koels gebruiken. Niet dat ik kans krijg op adem te komen. Ze kijkt over mijn schouder en vraagt: 'Wat zijn jullie aan het doen?'

Ze leunt iets dichter over me heen naar het scherm en zegt: 'Oh, ik zie het al, Warmachine. Da's een leuk spel. Wie wint?'

Verbeeld ik het me of voelt deze mercenary twee kogelronde knoppen van waterOmelon womOan tegen z'n schouderbladen aan duwen? Ik wijs met m'n duim naar Wesley, die daardoor meteen een heel leger van me kan wegvagen.

'Ach, arme Djeenus,' treurt ze terwijl ze even in m'n nek aait - precies op die verrekte plek. Hoe weet ze het te vinden. 'Maar ja,' zegt ze trots, 'Wesley is ook zo'n geweldige gamer.' En ze drukt Wesley even tegen zich aan.

Ik word zo strontjaloers dat ik vergeet Wesley weg te schieten nu hij ongeduldig zijn moeder van zich af probeert te schudden.

'Oh, ik merk het al, ik kan jullie beter met rust laten.'

En ze loopt lichtjes de deur uit. Ik hoor haar zacht swingend zingen - *Watermelon Man* misschien?

Wat een woedie wood is die Wesley om z'n moeder zo weg te jagen. Als ze mijn moeder was. Nou ja, toch maar liever niet, want wat ik bij haar denk kan nou niet bepaald bij je bloedeigen moeder.

Wesley en ik vechten weer verder. Ik voel me flitsend want ik win flink wat punten terug.

Ik kijk niet opzij maar vraag: 'Hey Wes, waar is jouw vader eigenlijk?'

Begrijp je dat nou? Kan dat joch daar niet tegen! Hij kijkt me aan alsof hij de vuurspuwende draak zelf is. Dan kijkt Wes woest terug naar het screen en in minder dan notime blaast hij m'n jacks uit beeld en mij erbij. Dit is helder als gif: de vader van Wesley is minstens net zo'n droge dropdreutel als die van mij. En ik zat zo dicht bij de driehonderdvijftigpunten!

Bij het weggaan vraagt Wesley's moeder: 'Leuk geweest? Ja?'

Ik knik m'n verlies weg.

'Kom je morgen weer, Djeenus? Volgens mij vindt Wesley dat wel leuk.'

Ik knik een stuk gretiger dan daarnet. Op weg naar huis lijkt het wel of de zolen van m'n adidasjes aan bodypumpen hebben gedaan. 't Is alsof ik zwizwazweef.

Thuis is m'n moeder er al. Ik zeg: 'Ben je er nou al?'

Ze kijkt me met dikke blik aan en vraagt: 'Weet je hoe laat het is? Ik heb het eten al klaar.'

We schuiven aan tafel. Hier til ik wel m'n stoel op, anders raakt m'n moeder op slag ontreddderd over "haar" vloerbedekking. Ik zit zo aan Wesley's moeder te denken dat ik zelfs vergeet te klagen over het eten. M'n moeder zit op een andere wolk. Dat scheelt een boel vragen over vandaag. Lekker flex.

Opeens breekt de stilte doordat m'n moeder vraagt: 'Heb jij soms een vriendinnetje?'

Ik kijk haar megaverbijsterd aan.

'Hoe kom je daar nou bij?!'

'Nou, er is al een paar keer gebeld de laatste dagen, en als ik opneem hoor ik niets. Maar er zit wel iemand aan de andere kant van de lijn. 't Voelt raar. Alsof daar iemand zit te wachten op iets en ik weet niet wat. Dus zeg ik maar niets. En dan wordt er opgehangen. In de display staat geen nummer, maar "anoniem". Als ik nu wist dat het een vriendinnetje van je is die jou wil bereiken ...'

'Ma, van welke planeet ben je? De apenplaneet ofzo? Ik heb helemaal geen vriendinnetje! En als ik er eentje had, belde ze wel naar m'n mobiel, of we gingen whatsappen. Weet je zeker dat jij geen lover-boy hebt die stil aan de lijn hangt omdat hij jou zo verschrikkelijk lief vindt?'

Dat treft anders doel dan ik verwacht. Ze staat op om alvast een schaal naar de keuken te brengen. Deze keer niet om de keukenrol een stuk dunner te maken, maar om haar dieprode kleur te verbergen.

Ze komt met haar eigen kleur weer terug en met het toetje, bitterkoekjesgriesmeelpudding. Gatver! Ik schuif het meteen opzij.

Terwijl ze eerst haar eigen schaaltje leeglepelt en dan het mijne - hoe bedoel je 'ik moet nodig wat aan m'n lijn gaan doen' - is er weer rust. Kunnen we elk weer verder in onze eigen gedachtengang. Die van mij komt heel snel uit bij Wesley's huis.

Na het eten laat m'n moeder altijd een kameel uit. Deze keer gaat ze ook nog eens tegelijk haar teennagels lakken.

'Zo, die zijn hard aan een opknapbeurt toe,' ziet ze.

Wat ik krijg is een allemachtige afknapbeurt. Dat ziet er toch niet uit?! M'n moeder zit daar met zo'n kameel in haar mondhoek, haar oog dichtgeknepen tegen de rooksignalen van longkanker. En dan zet ze ook nog eens haar ene voet op het andere been om bij haar tenen te kunnen. Ik kijk tot aan haar kruis en verder!

'Ma, weet je hoe walgelijk je zit,' barst ik los. 'Ik kijk niet alleen tegen je onderbroek aan, maar ik zie zelfs dat je inlegkruisje scheef zit. Gatver, hoe goor wil je het hebben?'

Ik ren razend naar de gang, ruk de spiegel van de muur en pleur hem op mijn stoel. 'Kijk, kan je zelf ook zien wat voor prachtig plaatje je zo bent.'

En dan zie je hoe mallotig m'n moeder is. Begint ze te lachen! Nee, echt. Ik begrijp er niksnada meer van. Die stille trommelaar, za'k maar zeggen, daar moet je hard om lachen en dan huilt ze. Dit is om te huilen en dan zit ze te hinniken van het lachen. Vat jij het, vat ik het.

'Ach, liefie, (krijgen we dat ook nog!) we zijn toch geen vreemden voor elkaar? (ja, nou en?) Trouwens,' en ze kijkt me weer vertederd aan alsof ik haar "kleine lieverd" ben, wat heeft ze nou weer verzonnen, 'jij kent het, want dat is waar jij vandaan komt.'

Nou, van zulke dingen ga ik dus vol over m'n nek. Bijna ben ík het die een keukenrol nodig heeft. Ik hou alles nog net binnen. Storm naar m'n kamer en ga daar in m'n eentje een beetje zitten rellen. Pas als m'n oog op die vijf keer *In Watermelon Sugar* valt, kom ik tot andere gedachten. Dat is goed gaaf. Morgen zie ik haar weer.

In bed lig ik nog een tijdje weg te dromen. Hoor m'n moeder proberen de spiegel weer op te hangen. Dat lukt gegarandeerd niet, want het haakje is voorgoed van de muur gerukt. Dus zet ze de spiegel maar neer, loopt neuriënd de trap op en zegt bij mijn deur 'Slaap lekker, mijn grote kerel.'

Ik wil me daar bijna over opwinden, maar dan zie ik dat dat "grote kerel" klopt. Met al het dromen is m'n dekbed danig omhoog gekomen. Zo lijkt het wel een circustent. Dat is lachen.

Was het nu maar morgen.

Vandaag is alles XXXtra. Ik word extra vroeg wakker, met extra veel zin. Neem deze keer echt een douche. Meestal zet ik de straal wel aan en maak m'n handdoek nat - anders begint m'n moeder druk te diskuzeuren of ik wel gedoucht heb. Ze heeft zelfs gedreigd erbij te komen staan om te kijken of ik me wel goed was. Ja, echt. 't Lijkt Rob wel met z'n "verzorgende begeleiding". Moet ze wel zorgverlof opnemen, want ze is om deze tijd altijd al naar d'r werk.

Meestal spuit ik alleen wat deo, nu sta ik extra lang echt onder de straal. Spuit dan zoveel deo op dat ik snel de deur open moet doen om adem te krijgen. Nog grondig m'n haar in de gel en ik ben helemaal klaar voor de dag, en zekerweten de middag.

Loop swingend - als een watermelon man? - naar m'n fiets. Flits fluitend naar school alsof het daar extra boeiend is.

School is trage troep! Allemachtig, wat duurt die dag. En weet je, de klas is kleiner dus onze dida-docenten hebben alles in de smiezen. Paco is voor de rest van het jaar geschorst, yessss! SandySarah is pleite, maar dat heb ik al verteld. Intussen weet ik hoe ik in de les actief moet kijken en toch uitrusten.

Het laatste uur is Wesley er opeens niet. We hebben Nederlands. Dat is naatje. Die ouwe prutser is nog niet met pensioen, maar er wel gigahard aan toe.

'Weet iemand waar Wesley is?' ondervraagt hij de klas met kille blik.

Niemand weet of zegt wat.

'Dan noteer ik dat hij zonder kennisgeving afwezig is,' zegt hij en kijkt daarbij alsof hij gescoord heeft.

Als hij applaus wil, kan hij nog lang wachten. Doodse stilte.

Voordat de bel gaat, sta ik bij de deur als een sprinter alles los te schudden voor de start. Ik val in de bel en schiet naar buiten. Naar Wesley's huis. 'k Wil natuurlijk wel weten wat er met hem is. En of ik z'n moeder kan helpen als Wes ziek is. Is dat niet megamooi van me?

Bij Wesley sta ik stilletjes te stuiteren op de stoep. Zijn moeder doet open en kijkt me aan alsof ik Santamaria - of hoe heet hij ook al weer - zelf ben die

Watermelon Man voor haar persoonlijk komt spelen.

'Ah, Djeenus, kom binnen. Wesley is even weg, maar ga zitten.'

Ik ga op de bank bikkel zitten zijn, probeer de bobbel in m'n broek te verbergen waarmee ik haar een staande ovatie geef. Ze is echt een weergaloos lekker ding. In hetzelfde T-shirt als gisteren. Of ze heeft er twee van, want zowel de watermelon als de woman zien er fris en fruitig uit. Daar zou je dikke fun mee kunnen hebben.

Voordat ik compleet van de planeet ga, zegt ze: 'Wat heeft Wesley toch een leuke vriend, en ook al zo groot. Hoe oud ben je, Djeenus?'

Ik lieg er gelijk een jaar bij: 'veertien.'

'Oh, je ziet er ouder oud. Zeker snel gegroeid.' En ze kijkt naar één plek van me die echt snel is gegroeid. 'Wesley is naar z'n oma, op ziekenbezoek, dus die blijft wel een tijdje weg. Wil je wat drinken?'

Ik knik.

'Wat wil je drinken?'

'Oh, doe maar wat.'

'Meen je dat?'

'Ja, ik vind alles lekker.'

'Zullen we dat eens proberen?'

Ze komt naast me zitten, haalt met zachte hand m'n vingers over m'n staande ovatie weg en streelt dan m'n groeiplek. 'Vind je dat lekker?'

'Ja.'

Meer kan ik even niet uitbrengen.

Ze maakt m'n broek los, haalt hem tevoorschijn en begint hem te strelen. Ik heb nog nooit zo'n vlaggestok gehad. Die is zo lang, daar kan een hele examenklas hun tas aan ophangen als ze geslaagd zijn.

Wesley's moeder trekt haar rok omhoog, gaat over me heen zitten, doet haar slipje in d'r kruis opzij en stopt me zo naar binnen!

'Zeker weten geen inlegkruisje,' schiet het door m'n hoofd. De dingen die je denkt die er op zo'n moment geen reet toedoen!

Zohee, wat is dat gruwelijk lekker! Wesley's moeder gaat op en neer, eerst langzaam, dan iets sneller en in notime ben ik alles kwijt. Ik schok na en zij een beetje van het lachen. 'Je bent niet alleen snel in 't groeien,' fluistert ze.

M'n watermelon woman blijft zitten, buigt zich naar voren, sabbelt aan m'n oor.

'Da's nou mijn manier van veilig vrijen,' zegt ze, 'een vriendje van Wesley die het nog nooit gedaan heeft.' Ik protesteer: 'Ho, ho, wie zegt dat ik het nog nooit gedaan heb?'

Ze lacht haar lange haren achterover en haar borsten naar voren. Tilt haar T-shirt op en leunt weer even tegen m'n gezicht aan. Legt haar hand achter m'n hoofd en zegt: 'Zuig maar even aan m'n borsten.'

Ik denk: 'Ik ben geen baby!', maar je houdt het niet voor mogelijk hoe lekker dat is.

Ze lacht genietend, pakt m'n hand en zegt: 'Draai

maar even aan m'n tepels, eerst zachtjes en dan harder. Zo ja.'

Terwijl ik dat doe voel ik me weer groeien. Ik zit nog op de goeie plek, dus die vul ik weer moeiteloos. Ze maakt weer dezelfde beweging op m'n schoot en ik ga vanzelf harder draaien. Tot ik het niet meer kan houden en zij zo te zien ook niet. Eerst gooit ze haar hoofd achterover en dan buigt ze over me heen. Dat heeft wel wat, die lange haren om m'n hoofd. Een betere tent dan die circustent van gisteravond. Zo blijven we even zitten. Dit is gaferdegaafst!

Dan staat Wesley's moeder op alsof ze nog geen zin heeft. Aait me over m'n wang en zegt: 'Je bent lief, Djeenus.'

't Klinkt walgelijk, 'k weet het, maar zo wil ik best altijdenforever lief zijn, voor haar wel, echt wel.

Ze trekt de tekst van haar T-shirt weer waar die hoort, doet haar slipje goed en haalt me wat te drinken. Geeft niet wat.

Intussen kijk ik naar het wormpje dat daarnet nog een flinke paal was en denk: 'Krijg nou het rambam. Allemaal vlekken op m'n broek. Zal je m'n moeder horen als ze dat ziet!'

Ik drink snel m'n glas leeg.

Bij de deur houdt Wesley's moeder me even vast en zegt: 'Als je volgende week woensdag komt, heb ik weer wat te drinken voor je. Daaag, Djeenus.'

Ze legt m'n hand op de watermelon en op de woman en streelt me nog even in m'n nek. Wat een waanzinnig werelds mens is Wesley's moeder.

Op weg naar huis zwizwazweef ik nog hoger dan gisteren.

Ik ren thuis als een haas naar m'n kamer en trek een andere broek aan. M'n moeder roept uit de keuken: 'Waar ben je geweest?'

'Bij Wesley.'

'Apart, Wesley is nog hier geweest om te vragen of jij thuis was.'

'Ja, ik kwam hem onderweg tegen, en ben toen met hem meegegaan.'

'Maar dan ben je wel kort bij hem gebleven, want hij was niet zo lang geleden hier. Ben je dan langer op school gebleven?'

Grote genade. Altijd dat gezeik. Je verzint het een en moet gelijk een heel verhaal bedenken.

'Ja, op school nog even wat in de mediatheek opgezocht voor een project.'

Dat doet het altijd goed.

'Heeft Wesley soms ook nog hiernaartoe gebeld vanmiddag?' roept ze naar boven.

'Nee,' schreeuw ik hard terug, 'heeft die anonieme loverboy van je dan weer gebeld?'

Als antwoord hoor ik het deksel van een pan op de grond kletteren. Zo, die zit.

In een superschone broek en met dik wat deo in alledrie m'n oksels tegen allerlei luchtjes loop ik weer naar beneden. M'n moeder kijkt op vanachter de koekepan. Oh nee, hè, ze kijkt vertederd naar me!

Ze aait me over m'n bol en zegt: 'Wat ruik je lekker. Je bent mijn grote kerel.'

Als ik ergens van schub, dan is het dat. Ik zeg: 'Waarom neem jij geen andere grote kerel!' en dreun de keukendeur dicht.

De hele nacht voel ik me de Gigantisch Grote Verleider. Droom ruig van Wesley's moeder.

's Ochtends word ik wakker en een stralend idee flitst door me heen: waarom wachten tot volgende week woensdag? Waarom niet vanmiddag?

Het antwoord dondert er gelijk achteraan: tuurlijk ga'k vanmiddag. Ik neem gewoon de laatste twee lessen op en ga heftig bankzitten bij Wesley's moeder.

Ik spring uit bed, douche weer (!) en werk de afspraakkaart voor de tandarts wat bij. Je weet maar nooit of conciërgeCo gaat controleren waarom ik weg wil.

Wesley is op school. M'n masterplan kan doorgaan. Ik zeur tegen Stille Willem en Wesley dat de smoelensmid grondig naar m'n eethoek moet kijken. Een van m'n vreetsteentjes zuigt.

Tot de tweede pauze kijk ik kiespijn en zeg dan: 'Hey, Wes, ik ben even op de achtergrond' en wijs naar m'n kaak.

Wes knikt z'n langzame knik en ik fiets fluitend naar z'n moeder.

Vlak voor de hoek van Wesley's straat stop ik om af te koelen en deo bij te spuiten. Ja, die heb ik bij me. Dat past allemaal in het masterplan. Brains, brains, brains!

'k Loop noncha met m'n fiets de hoek om en sta dan stijfstil. Dit is zwaar fout.

Voor Wesley's deur staat iemand, en ook nog eens iemand die ik ken: Rowan, Rowan Radijshoofd! Die slome stiekemerd was niet op school. Ik word helemaal niet goed als ik zie dat de deur opengaat en Wesley's moeder Rowan in haar armen neemt alsof hij Santamaria himself is.

Dan daagt het tot ik er daas van word: dus ik ben voor de woensdag en Rowan werpt z'n hengeltje in dezelfde sloot uit op de donderdag.

Dit is schurende shit. En wat een oversexte opalleskruiper is die moeder van Wesley! Op elke middag vast en zeker een andere jonge visser.

De pot is overvol. Ik rij als een razende terug naar school. Barst naar binnen.

'Hé, waar komt dat vandaan?!' roept Co.

Ik hou m'n vuist tegen m'n kaak en mompel 'tandarts'. Race door naar ICT. Daar is het zo'n grandioze chaos dat niemand in de gaten heeft dat ik binnenkom.

Ik ren naar Wesley toe en roep: 'Hey, Wes, Co zegt dat je moeder gebeld heeft. Je moet onmiddellijk naar huis. Er is iets met je oma.'

Meestal is Wesley van de tergend trage, maar nu

is hij zo snel het lokaal uit dat de deur niet eens dicht is van toen ik binnenkwam. Ik ga maar op Wes z'n plek zitten. Willy Wartaal heeft niks door. Die zit druk in z'n eigen wargame met de klas.

Wat een bagger. Nou maar hopen dat Wesley thuis z'n moeder met Rowan op de bank spot. Heeft hij z'n eigen free sexshow. Vast beter dan die we op die dropdreutels dvd's hebben gezien. Lachen, man. Wesley verrast woppende Watermelon Woman.

Traag als dikke stroop uit een fles fiets ik uit school terug naar huis. 'k Voel me zwaar klote.

Thuis wordt het nog erger. De telefoon rinkelt en ik neem snel op. Zeg 'hallo?' en dan is er stilte. Ik hoor alleen iemand zachtjes ademhalen. Niet snel, maar rustig, afwachtend. In de display staat weer '"anoniem". Creepy! Ik verbreek gauw de verbinding.

Bij het eten vraag ik aan m'n moeder of ze zeker weet dat ze geen stille minnaar heeft, die aan de telefoon maf z'n kop houdt en alleen maar hardop kan zitten hijgen.

'Het was duidelijk een man, geen vrouw. Dus het moet wel voor jou zijn.'

Het gekke is, ze kijkt niet kwaad, eerder geamuseerd. Alsof het haar wel wat lijkt.

De volgende dag horen we van onze vervangende mentor - die koekwans van Nederlands - dat "We-

sley en Rowan betrokken zijn geraakt in een vecht-
partij, of zichzelf daarin hebben betrokken, dat is
nog niet duidelijk, maar dat hun kwetsuren van dien
aard zijn dat zij de komende dagen niet op school
zullen verschijnen." Einde bericht.

Ik ga maar naast Stille Willem zitten, die me stom-
verbaasd aankijkt maar niks zegt. Zeker sprakeloos
omdat hij me vet ziet grijnzen.

Wesley en Rowan zijn na een paar dagen weer terug
op school. Het maffe is dat ze elkaar eerst bont en
blauw hebben geslagen en nu niet van elkaar weg te
slaan zijn. Klef en close, za'k maar zeggen. Mij kijken ze niet aan. Van Wesley merk ik dat doordat z'n
gezicht altijd van mij weggedraaid is. Alsof de wind
van mijn kant komt en z'n oogjes anders beginnen
te tranen.

Mij laat het siberisch. Je kan beter goed weten wie
je vijanden zijn. Daar heb je wat aan. Vrienden, die
doen de gekste dingen. Daar heb je niks aan. En aan
amigo's nog minder dan nadaniks. Van mij mogen
die twee gaan schaatsen op dun ijs en er dan dik
doorheen zakken, in diep water heel ver van de kant.
En als ik dan heel toevallig langs fiets heb ik ook van
die tegenwindtranen in m'n ogen. Zie ik niks.

Inmiddels trek ik meer met Stille Willem op. We
staan al bekend als 'die twee stillen'. Rob zou zeggen
dat we 'roerloos' zijn. Maar dat is alleen op school.

Daarna gaan we echt los. Uit school gaan we naar de boerderij van Willem.

Moet ik je eerst even wat vertellen over Willem z'n familie. Wat een stelletje prachtportretten zijn dat. Moet je je voorstellen. Willems vader lijkt zo uit de bijbel weggelopen. Heb je wel eens een plaatje van Abraham gezien, of van Mozes? Het zouden zo drielingbroers van hem kunnen zijn. Hij zit in de fruitteelt: appelen en peren. Als je bij hen eet stikt het altijd van de gestoofde peertjes en zelfgemaakte appelmoes met van die brokken. Geef mij maar van die gladde uit een potje.

Willems vader heeft van die praktische plukhanden. Groots! Hij heeft het altijd over z'n "tien geboden". Willems moeder is minstens een kop langer, breder en dikker dan zijn vader. Met nog grotere "tien geboden", maar die noemt zij haar "wasborden". Pas sloeg ze kwaad op tafel. Alsof de bliksem heel dichtbij insloeg. Woest, man! Zij plukt dus dikwijls mee.

Willem is een nakomertje. Z'n moeder had z'n oma kunnen zijn. Ze was 51 toen Willem kwam kijken. 'k Moet er niet aan denken dat mensen het op die leeftijd nog met elkaar doen. Gatver.

Ze hebben nog tien andere kinderen. Die zijn allemaal een stuk ouder dan Willem. Ja, hè, hè, bedenk ik nou, da's nogal duidelijk als Willem een nakomertje is. Eén broer woont nog thuis. De anderen hebben allemaal hun eigen boerderij vlakbij. Ook appels en peren. Kunnen ze ruilen als ze dubbele hebben. Maar nou komt het.

Willems ouders zijn van die goedgelovige mensen. Er wordt daar thuis veel over god gediskuzeerd. Mijn vader, toen hij nog thuis op de trom sloeg, had het ook vaak over goden, maar die waren al lang kassiewijle. Anders kon hij er ook niet naar gaan graven - als hij dat al deed. Nee, Willems ouders hebben het over "de levende God" en dan kijken ze verschrikkelijk vroom. Ze gaan niet naar de kerk. Die is niet zwaar genoeg: "verkondigt niet het ware Woord".

Elke zondagochtend én én én - ja, 't is niet te geloven - én elke zondagmiddag komen al hun kinderen en kleinkinderen op hun boerderij bij elkaar en dan hebben ze een "huisdienst". Zitten ze de godganse dag thuis met z'n allen te zingen en te bidden. Met alle respect, maar op die dag hou ik Willem voor gezien. Hij mij niet want hij heeft heel de zondag z'n ogen dicht, vooral als z'n moeder naast hem zit.

Pas heb ik bij Willem meegegeten. M'n moeder had de dag ervoor nog tegen mensen gezegd dat ze er al jaren alleen voorstond, dus die miste mij vast en zeker niet. Kon ze echt eens in haar uppie eten.

Als ik en m'n moeder wat wegknagen is dat in notime naar binnen geslingerd. Bij Willem thuis kunnen ze uren kanen. Nou ja, het eten werken ze wel naar binnen alsof ze weinig schafttijd hebben, za'k maar zeggen. Maar ervoor en erna! Man, man, da's echt everlastinglang.

Voor het eten bidt Willem z'n vader. Begint een heel gesprek met hun god, dat ze dit eigenlijk niet verdiend hebben en of ze er wel van mogen eten, want ze hebben zo gezondigd. En intussen staat het dik te dampen op tafel!

Als iederen uitgenast is, mag Willem de bijbel pakken en die aan z'n vader geven alsof het het eerste kievitsei is. Dan leest z'n vader een joekel van een stuk voor. Allemachtig, dat duurt en duurt. Als dat klaar is heb je gewoon weer honger.

De eerste keer dacht ik dat hij het hele boek ging uitlezen, maar daar is het gelukkig te dik voor. Trouwens, lezen, z'n vader lijkt wel een operazanger die buiten optreedt. En als laatste doen ze dan weer allemaal hun ogen dicht en dankt z'n vader de Heer uitgebreid voor wat Willem z'n moeder gekookt heeft. Nou, allemáál hun ogen dicht, da's niet waar. Ik kijk stiekem door m'n oogharen naar iedereen. Zit Willem stilletjes met z'n ogen open! Ik gluur nog een keer rond, maar alleen hij kijkt.

Na het 'Amen' haalt Stille Willems moeder uit met een van haar wasborden. Sodeju! Ze geeft Willem een draai om z'n oren dat het glasinlood boven de ramen ervan rinkelt en ik het gesuis in Willems hoofd kan horen. Dat is omdat hij z'n ogen heeft opengehouden en "de Heer niet de eer heeft betoond die Hem toekomt".

En Stille Willem doet niets! Da's natuurlijk ook wel moeilijk. Als z'n moeder niet van die grote handen had, kon z'n vader met z'n tien geboden Willem goed laten voelen wat wel en niet mocht. Die man had Mozes moeten zijn. Niks geen gelazer met onderaan de berg struikelen en die stenen borden uit je klauwen laten vallen. En dan niet meer weten wat er opstaat! De oen! Nee, Willem z'n vader kon dan gewoon voor de joden, die daar hun eigen woestijndisco hadden, gaan staan. Ze een dubbele high-five met z'n eigen tien geboden geven en dan wist iedereen waar die aan toe was, echt wel, zeker weten. Waren ze dansend achter hem aangegaan. (Ja, ik weet best wel wat van de bijbel. Tussen de Griekse goden door vertelde die diepgraver ook van die ruige verhalen daaruit. Best mooie verhalen eigenlijk. 'k Wou niet voor niets naar het gym. Aan het eind van zo'n verhaal zei m'n vader vaak: 'Ja, mythologie is machtig breed, Janus. Wel tot en met de bijbel.' En dan keek hij als een ondeugend jongetje dat 'poep' zei.)

Tussen het voor- en het naspel - zohee, hoor mij nou, ik klink als zo'n 18+dvd - dus het bikken op zich, bedoel ik, dat is gaaf, echt lachen man. Niet dat er funfood op tafel staat. Nee, stamperdestamppot.

Willems moeder pakt een lepel, roert in een soortement kingsize kookpot - zo eentje waar een zendeling in past bij de kannibalen - en geeft dan iedereen een grote kwak eten op z'n bord.

Z'n vader snijdt intussen het vlees of de rook-
worst, whatever, prikt een stuk ervan met een vlees-
vork waaraan een heel varken kan en schudt dat dan
boven je bord los.

Inmiddels zit iedereen van die berg op z'n bord
een muur te metselen met een diep gat in het midden. Willem z'n moeder doet dat niet alleen voor
haarzelf maar ook voor Willems vader. Dan gaat de
juskom rond en stort ieder dat diepe gat vol. Da's
nou echt vette jus! Lekker man.

Weet je wat echt vreselijk lekker is: Willem z'n
moeder d'r stamppot met draadjesvlees en jus. 'k
Bedoel, daar kan geen slappe Mc-hap tegenop. En
ze praten dan allemaal door elkaar. Niks "eerst je
mondje leegeten voordat je wat zegt". Gewoon, wat
zeggen als je zin hebt, al is je mond tjokvol.

Willems broer kan dat als de beste: knagen en
knallen. Hij is met verlof uit Afghanistan. Heeft die
broer zich opgegeven om daar te vechten "om de is-
lam te bestrijden". Tja. Maar wat een verhalen heeft
die man! Over warlords en heroïne. Machtig. Hij is
verbindingsofficier.

Ik zeg wijs: 'Dat kunnen ze vast wel gebruiken
daar, met al die bermbommen.'

Grote ogen en doodse stilte.

Ik denk 'krijg nou wat, 'k heb toch niks verkeerds
gezegd?'

Dan begint z'n broer te brullen van het lachen. Al
z'n draadjesvlees ligt bloot. En hij roept: 'Nou vat

ik hem. Nee, joh, een verbindingsofficier heeft niks met ehbo en verbanddozen te maken. Ik zorg voor de communicatie tussen de troepen.'

Iedereen lachen, man. Ik ook maar, een beetje.

Vóór het eten is het helemaal te gek. De meeste appels en peren liggen koel te wezen in cellen, maar er is een fruitschuur, daar ligt alles op een soort zolder.

'Voor de aanbiedingen in de supermarkt,' zegt Willems vader tevreden. 'Het snelle werk'.

Nou moet je je voorstellen, die zolder is zo groot als een half voetbalveld en in het midden is een gat met een ladder naar beneden - of naar boven, net waar je vandaan komt, natuurlijk. Ik en Willem voeren daar oorlog. Ieder aan een andere kant van het gat. Een soort paintball, maar dan met fruit.

Van de appels en peren maken we barricades. Om beurten roept een van ons dan 'ja' en dan moeten we even gaan staan. En dan gooien om de ander te raken! Dat is echt dikke fun. We gooien meestal mis, dus die schuur ziet er niet uit.

Willem is dan een Talibaan, met zo'n gare doek over z'n kop. En dan kijkt hij elke keer alsof hij uit z'n Afghaanse grot komt, met van die knipperogen tegen de felle zon, weet je wel. In feite is Willem gewoon bang dat hij een rotte appel vol in z'n porem krijgt.

Ik ben gewoon mezelf. Dat is echt. Waarom zou'k iemand anders zijn als ik hem eigenlijk niet ben, toch?

Okeedan, we hebben ons ingegraven. Ik zit met drie wrakke appels in m'n handen net klaar om 'ja' te zeggen, horen we mensen aankomen. Willems broer met zijn vriendinnetje.

Wij duiken diepweg en horen het vriendinnetje zeggen: 'Weet je zeker dat hier niemand komt?'

'Welnee, joh, hier komt overdag nooit iemand.'

'Ja maar ik schaam me dood als je vader of moeder of je broertje (broertje! Dat moet Willem zijn van 1 meter 90!) ons hier vindt.'

'Ach, maak je geen zorgen. Trouwens, we hebben nog maar zo weinig tijd voordat ik weer wegga. Laten we er dus van genieten.'

Hij gaat beneden op een stuk zeil liggen en het vriendinnetje legt zich erbij neer.

Ze gaan een beetje tegen elkaar aan liggen en hij begint haar schouders te masseren. Ze snavelen wat, kruipen dichter tegen elkaar aan. Dan begint de broer aan haar bloesje te frunniken. 'k Bedoel tuurlijk de broer van Willem, niet háár broer. Stel je voor dat je broer aan je bh gaat zitten klooien! Nou ja, gelukkig ken ik dat niet. Ik ben geen meid.

Willems broer, dus, is echt opgewonden, want de knopen willen niet wat hij wil: los.

'Kunnen we dat niet beter straks doen, als het donker is?' zegt zij.

Maar hij is helemaal door het dolle en gaat door.

Intussen is Willem - met die stomme Talibaandoek! - gaan staan en kijkt met kingsize ogen naar wat z'n grote broer daar beneden aan het uitvreten is. Hopelijk andere communicatie dan als verbindingsofficier in Afghanistan. De Talibaan zien je al gaan!

Dit is mijn kans om een geintje uit te halen. Ik gooi een voltreffer naar Willem en duik gelijk weg. Dat wordt lachen! De appel spat uit elkaar op Willems schouder en valt dan door het gat op het bloesje van het vriendinnetje.

Wat een halve zool is Willem. Die kijkt met van die knipperogen waar het terecht komt. Duik dan weg, dufhoofd!

Zijn broer kijkt omhoog, ziet Willem, roept 'gore gluiperige gluurder,' stormt de ladder op alsof hij echt de vijand te pakken heeft en stort z'n "broertje" in wilde woede naar beneden.

Gelukkig, of bij nader inzien misschien wel jammer, dat het vriendinnetje opzij is gegaan. Twee droge knakken die klinken alsof iemand aanmaakhoutjes breekt en Willem ligt in een heel gekke kronkel doodstil op de vloer. Afijn, de verbindingsofficier weet toch wel wat van ehbo.

'Laten liggen!' roept hij tegen z'n vader en moeder die komen aanrennen en Willem met hun blote handen willen optillen. 'Bel een ambulance!'

Na korte tijd komt de ziekenwagen aangeracet. De hospikken zeggen iets van 'gecompliceerde been- en schouderbreuk: onmiddellijk behandelen' en stoppen hem op de brancard als in een envelop. Met zwaailicht vertrekken ze. Willems moeder gaat mee.

Echt boffen dat niemand mij in de peiling heeft. Als die broer mij zou spotten, zou hij zeker weten door het dak flippen van woede. Dus ik hou me gedeisd.

'Hoe kan je nou een schouder breken?' flitst het door me heen. 'k Zou 't niet weten, maar het is Willem gelukt.

Na een lange stilte knijp ik er tussenuit. Pluk m'n fiets vanachter de schuur en sluip weg. Voorlopig hou ik het bij Willem goed voor gezien.

VROUWEN

Naar school ga ik de laatste dagen nog maar af en toe en ook niet meer dan een beetje. Met Stille Willem werd er al geen woord gezegd, maar nu is het daar een driedubbele dooie boel. Willem ligt helemaal klem te wezen in het ziekenhuis. Z'n been heeft een buitenbeugel. Alsof de tandarts aan de verkeerde kant is begonnen. En hij heeft zo'n bodybuildersborstkas van het gips. Onze VM - Vervangende Mentor - vertelt dat allemaal. Ja, in z'n eigen woorden natuurlijk.

'Willem is gelukkig aan de beterende hand, maar de revalidatie gaat helaas trager dan gehoopt. Dus zullen we hem hier nog enige tijd moeten missen.'

En dan kijkt hij zo van "heb het lef eens om wat te zeggen".

Nou, niemand dus, want wat hij zegt boeit niet. Iedereen ligt in z'n eigen dagdroom weg te wezen. En Willem? Die misten ze al niet toen hij er wel was.

Weet je, eigenlijk mis ik het bolle geblaat van Paco. Die stond van die gigagrote bellen te blazen, die moesten wel kapot vallen. Of je prikte er gewoon doorheen. Nou moet ik m'n eigen glimmende bellen blazen, en zelf in de lucht zien te houden. En ik mis ook het wrakke fruit gooien met Willem. Maar het mallotige gemekker van Wesley en Rowan kan ik missen als kiespijn.

Daarom werk ik nu dus meestal thuis. Drukker dan druk, man! Telefoontjes van Co beantwoorden.

'Janus, is je moeder er?'

'Nee, die is aan het werk.' (Centjes verdienen voor haar lieverd/grote kerel.)

'Je bent al een paar dagen niet op school geweest, Janus.' (Nou èn?)

'Ja, ik voel me al een paar dagen niet lekker.'

'Wat scheelt er precies aan, Janus?'

'Nou, hartstikke duizelig en zo.'

'O, ben je al naar de dokter geweest?'

'Nee, de afspraak van gisteren kon niet doorgaan. De dokter had een noodgeval. Nu ga ik overmorgen.' (Da's clever, toch? Weer een paar dagen erbij.)

'Vervelend. Je blijft dus nog een paar dagen thuis?' (Yesss!)

'Ja.'

'Nou, sterkte dan maar, Janus. En vergeet je niet een briefje van je ouders (m'n moeder, halve zool, want die staat er al jaren alleen voor!) mee te nemen als je terug komt?'

'Nee, dat za'k doen.'

Zo, weer drie dagen gewonnen. En raad eens wat

de dokter straks gaat zeggen?!

Naast de telefoontjes ook nog brieven van school lezen en dan verscheuren. '... Janus heeft reeds een aantal dagen verzuimd de lessen bij te wonen. Wij verzoeken u daarover contact op te nemen met onze school ...'

Zeg nou zelf, thuis zitten houdt je wel bezig. Af en toe kijk ik maar een filmpje om te relaxen.

'k Moet je heel eerlijk zeggen, m'n moeder is in feite de enige vrouw in mijn leven. Hoor mij nou, ik klink als die Gerard lekkerJolig die André Hazes nananananananadoet. Maar met m'n moeder heb ik meestal mot. Toch, de laatste tijd hebben we weinig heibel. Sinds ik de school links laat liggen. 'k Weet niet of dat er echt mee te maken heeft, maar zo is 't mooi wel.

'Heb je geen vriendjes meer om mee te spelen?' vraagt ze wel eens, alsof het kleuterspeelkwartier is begonnen.

'Nee, we hebben het nou te druk met school.'

Als dat niet klopt! Al die brieven en telefoontjes.

Over vriendinnetjes roept ze gelukkig niks meer in mijn richting. Komt vast omdat die stille beller opeens niksnada meer van zich laat horen.

'Maar, liefie (hoho, niet verder, dit is de limit!) zorg je wel dat je goed uitrust? Je ziet er een beetje bleekjes uit de laatste tijd.'

Kijk, dat kan geen kwaad en kost geen moeite. Ik beloof met de hand op m'n lieve hart me voorlopig flauw te houden. Dan gaat ze haar teennagels weer lakken, maar met haar rug naar me toe. En met haar saffie op de rand van het bord in plaats van in de hoek van haar mond. Zohee, waar heb ik het aan te danken!

Krijg nou het schompes! Zit ik de volgende dag m'n vitamine R van rust in te nemen, met m'n boots op m'n bureau richting video, komt m'n moeder als een scheet binnenvliegen. Veel te vroeg! Ik kan nog net het beeld wegklikken. Maar ze draaft door naar haar kamer.

Ze kluunt door haar klerenkast - waar dat trouwpak nog fris hangt te zijn. 'k Hoor van die vage kreten als "nee, dat kan echt niet meer" en "ik heb ook niks om aan te trekken". En dan staat m'n moeder in míjn deuropening.

Nou ja, wat za'k zeggen, m'n moeder? Ze heeft zich opgetut als zo'n beginnende breezahgirl, en dat op haar leeftijd!

Ik schrik me lam en zeg: ' Wat doe jij nou? Mens, je ziet er niet uit!'

Ze is zo onwijs opgefokt dat ze me niet eens hoort.

'Jacco (Sodeju. Wat is hier aan de hand? Jacco!), ik ga vanavond uit eten met Henk van't werk.'

Ik denk eerst 'gekke achternaam is dat' voordat ik'm volledig vat.

'Voor jou staat er een heerlijke koude salade op het aanrecht (ja hoor! Wie is er weer het kind van de rekening?). 'k Weet niet hoe laat het wordt. Maar vast niet later dan twaalf uur. Nou doei.'

En ze trappelt het huis uit als een paard dat na een hele lange winter weer de wei in mag.

't Wordt toch echt wel een tikkie later dan twaalf uur dat moeder Assepoester door prins Hendrik thuisgebracht wordt. Drie uur 's nachts! Als die heel de avond hebben zitten bikken, kunnen ze regelrecht in de reclame van bol.com.

Ik lig lekker warm onder m'n dekbed een beetje te chillen met een dvd'tje. Deze keer geen 18+, maar met van die gave gevechten. Ik hoor de voordeur. Doe het licht uit en ben zo snel dat ik eerder in bed lig dan het donker wordt. Wat er dan allemaal gebeurt. Dat wil je niet weten. Gewoon niet te filmen, man.

'k Hoor m'n moeder proesten van het lachen. Dan roept ze drie keer 'koekoek'. Er struikelt iemand over de spiegel in de gang. Dat zal m'n moeder wel zijn, want die zegt: 'Oh shit' en koekoekt nog vier keer.

Vraagt Henk: 'Waarom doe je dat?'

Fluistert m'n moeder hard: 'Wacht even.'

Ze roept nog zes keer 'koekoek' en zegt dan schaterend tegen Henk: 'Ik had Jacco beloofd vóór twaalf uur thuis te zijn.'

En dan buldert Henk mee van het lachen tot ik denk dat ze er in stikken.

Kan je zien hoe straalbezopen ze zijn. We hebben

helemaal geen koekoeksklok. En de tel zijn ze ook goed kwijt, want ik hoorde toch zeker weten dertien keer koekoek. Nou, dan weet je wel hoe laat het is: hartstikke te laat.

Opeens wordt het stil beneden. Dan hoor ik Henk zeggen: 'Ik dacht dat je me vertelde dat je alleen was.'

M'n moeder is op de trap gaan zitten en zegt: 'Nee, ik heb je verteld dat ik er alleen voor sta.'

En zo weet ik m'n plaats weer.

'Oh,' mompelt Henk, 'dan heb ik je verkeerd begrepen. Kom, ik zal je naar boven helpen.'

Samen strompelen ze omhoog alsof ze het laatste stukje van de MountEverest beklimmen en te weinig zuurstof krijgen.

Wat er dan gebeurt is zo ranzig! M'n moeder roept: 'O Henk, ik hou het niet meer!' Rent naar de badkamer en loost daar een stortvloed aan etensresten op de vloer. Kreunend kruipt ze naar het toilet en gaat daar boven hangen kokhalzen.

Henk doet niks, staat star stil te zijn. Ik doe m'n deur open, Henk draait zich om, kijkt mij met bloeddoorlopen ogen van de drank aan alsof hij Dracula himself is. Ik blaas naar hem alsof ik ladingen knoflook heb gegeten, knik met m'n hoofd dat hij weg moet wezen. En dat doet Henk! Laat die laffe lomperd m'n moeder gewoon stikken - nou ja, in ieder geval halfstikken. GekkeHenkie sluipt sneaky de trap af en doet de deur zachtjes achter zich dicht, alsof hij eigenlijk de deur niet uitmag maar het toch doet. Weer zo'n noorderzonderling met een stille trom. Zou m'n moeder ze verzamelen?

Ze is zo druk aan't braken dat ze niet hoort wat er gebeurt.

'Ach Henk,' zegt ze dan, 'wat een afknapper. En het was zo'n fijne avond met jou.'

Ze kijkt even op en ziet met grote ogen dat ik er sta en niet Henk.

'Henk is weg. Moest zeker vroeg naar z'n werk.' zeg ik.

M'n moeder buigt haar hoofd weer dieprood voorover. Dat kleurt lekker weg boven het wit van de wc. De pot is echt vol, dus ik spoel maar even door. 'Was je kotsmisselijk van die vent?'

'Nee,' fluistert m'n moeder, 'het was het wijnarrangement.'

Ze zit nu alleen nog maar te droogkokken, dus ik help haar naar haar bed.

Krijg nou wat, dit is de wereld op z'n kop. Ik help m'n moeder met uitkleden en leg háár in bed. Haar slipje laten we maar aan. Da's niet echt vies. Terwijl ik haar benen een voor een in bed lift, zie ik wel even dat het inlegkruisje keurig recht zit deze keer.

De kotskleren kwak ik op de vloer in de badkamer. Die troep heeft ze zelf gemaakt. Die mag ze morgen dus ook zelf opruimen. Ik ga naar de wc beneden en doe daar een grote plas.

De volgende dag sta ik op, loop met een duf hoofd

naar de badkamer en zie dat die brandschoon is. Ik loop naar beneden en denk 'ik zal toch niet alles gedroomd hebben?' Maar m'n moeder kijkt zo schuldig en doet zo aardig dat ik zeker weet: dit was bijtende reality, man. Echt wel.

M'n moeder blijft een paar dagen thuis "om op verhaal te komen". Wat za'k zeggen. Volgens mij kan ze dat verhaal beter compleet uit d'r hoofd zetten en er nevernooit meer opkomen.

En nou heb ik een probleem. M'n moeder thuis, ik dus niet thuis. Ik naar school en zeg tegen Co dat m'n moeder ziek is en dus geen briefje voor me heeft kunnen schrijven. Kijkt Co me aan alsof ik halfgare hap sta te verkopen en ze mooi niet ziek is. 't Is ook nooit goed of 't is verkeerd!

Met een blik van "bekijk het dan zelf ook maar" loop ik straal langs hem heen naar de les. En daar ligt de oplossing voor het oprapen! Op de vloer ligt een brief die de brave bruggers van het vwo hebben gekregen. Over een excursie morgen - naar het Rijksmuseum van Oudheden in Leiden! - en dat "degenen die nog niet betaald hebben de 45 euro bij de docent in de bus kunnen voldoen".

De rest van de dag maak ik m'n plan voor een welverdiende vrije dag.

Thuis heeft m'n moeder extra lekker gekookt. Terwijl ik behoorlijk zit te buffelen, laat ik haar de brief zien en zeg: 'Sorry, was ik vergeten te geven. Maar morgen is het al, dus heb jij die 45 euro voor me?'

M'n moeder kijkt moeilijk, maar gelukkig blijf ik haar "grote kerel". Ze schraapt 45 euro bij elkaar en zegt: 'Goh wat leuk dat ze zulke uitstapjes ook voor het vmbo doen.'

Dat laat ik maar zo. De buit is binnen.

'Vertrekken jullie van school?'

Ho, dat is even goed in de smiezen houden. Straks komt ze me nog uitzwaaien!

'Nee, we vertrekken van het busstation.'

Dat is ver genoeg weg.

'Nou, veel plezier.'

Kijk, dat zit in de pocket. Morgen komt m'n moeder thuis verder "op verhaal" en ik kan lekker m'n gang gaan. En daarna is ze vast wel weer naar d'r werk en kan ik eindelijk thuis vet op m'n eigen verhaal komen.

Nu eerst nog maar even googelen hoe dat vwo-museum in Leiden er uitziet. 'k Moet toch wat te vertellen hebben als ik terugkom morgen. Ben ik straks lucht aan't praten en is m'n moeder er van die miezerige mummies gaan bekijken, ooit. Zit ik daar met een kansloos verhaal. Mooi niet.

's Ochtends loop ik lekker laat en relaxed naar beneden. M'n moeder is het huis al uit, toch naar d'r werk. Centjes verdienen. Dat doet ze altijd voor "mijn grote kerel", nevernooit voor zichzelf. Als je haar mag geloven leeft zij van de lucht.

'k Moet zeggen, ze heeft giga haar best gedaan. Op't aanrecht ligt tien euro extra en een briefje. *Had toch zin om weer aan't werk te gaan. Hoor vanavond wel hoe het was. Hier nog wat om iets leuks te doen of iets lekkers te kopen.* Dat moet lukken. Al met al dus 55 euro om te scoren.

Naast het geld liggen verse broodjes, met gebakken ei. Helaas. Als ik ergens niet goed van word is het die lucht. Ik voel me bijna zo wazig worden als m'n moeder na een wijnarrangement. Doe die zakjes maar razendsnel dicht. Eenden houden vast van kippeneieren. Op naar het busstation! En dan de stad in.

Onderweg kwaken de eenden alsof ze al weken uitgekeken hebben naar ei, ei ei. Bij het busstation vind ik het hoog tijd om wat in te laden. Hamburger, friet met dikke jus. Niet zo lekker als stamppot met draadjesvlees en vette jus, maar het valt en vult goed. Nog een bekertje cola er achteraan en alles kan gaan zwemmen. De frietjes vast met de franse slag.

Terwijl ik dat sta weg te werken, kijk ik cool om me heen. Wat een haastig zooitje, al die mensen. Ze schieten langs je heen alsof ze overal willen zijn behalve daar. Schichtige blik naar de tijd, gemopper in mobieltjes. Everybody happy? Yeah!!!

Tussen al die heftige haast spot ik plotseling drie meiden met alle tijd. Alsof ze naar een museum moeten, maar besloten hebben de bus te missen. Ze staan om een mobieltje heen gillend te giechelen.

Die met de langste armen houdt het kletsijzer zo

ver mogelijk weg. Ze steken de koppen bij elkaar, grijnzen debiel naar hun mobiel. Fotootje. De lange trekt haar uitschuifarm in en dan hoor je op grote afstand hoe ze erop staan: 'Schattig! Dolletjes! Ooooh, waaaat leuheuk!' Allemaal kreten die bij ons op 't vmbo al tig jaar niet kunnen. Tenminste, als je erbij wil horen.

De middelste ziet er wel tof uit. Ik laat m'n lege bakkie en bekertje op de grond stuiteren en kom wat closer. Weer probeert die lange hoe ver haar arm komt. Echt ver. Als die jeuk aan haar teen heeft, kan ze krabben zonder te bukken. Nog een fotootje. De middelste verhuist nou naar rechts en ziet mij staan koekeloeren. Ze schuiven weer hun schedels tegen elkaar aan, maar ik zie dat ze weet dat ik kijk. Zohee, zo ziet ze er echt vetgaaf uit. 'k Weet niet of 't zo is, maar volgens mij kijkt ze zo lief voor mij. Weer dezelfde kreten die niet kunnen. Intussen kijkt ze wel steeds stiekem naar mij.

Ik loop naar hen toe: 'Jullie boffen. Ik ben Djeenus, en ik ben aan 't leren te fotograferen. Za'k een flitsende foto van jullie maken?' en ik hou m'n hand uit voor het telefoontje.

Ze aarzelen even, kijken elkaar en mij aan of ik wel goed volk ben. Dan komt die knikarm met het cameraatje naar voren en zeggen ze in koor: 'Ja, leuk!'

Ik zeg: 'Even niet lachen. Pas als ik ja zeg kan je stralen,' mik de lens op hun drieën terwijl ze serieus staan te kijken en roep: 'Ja, nu.'

Echt strak zoals ze opeens staan te stralen.

Na de foto zoom ik even in op die ene toffe meid en schiet haar alsof ze covergirl#1 is. Mega!

Ik laat eerst het plaatje van hun drieën zien. Gilletjes van "dolletjes!" Dan show ik haar close als covergirl. 'k Wil niet veel zeggen, maar als ze dat ziet kijkt ze me zo diep aan. Als er kauwgom op die blik had gezeten, was het ver voorbij m'n stembanden gekomen.

Ik doe een stap terug met het mobieltje in m'n hand en zeg: 'En nou met mij op de foto. Wie durft?'

Eerlijk gezegd, klink ik zo net als Rob aan het begin van de les. Als dat maar geen Sarah-toestand oplevert.

Het lukt! Die lange zegt tegen "mijn" covergirl: 'Marjolein, hij heeft zo'n tegekke foto van jou gemaakt, dat moet jij doen. En 't is jouw mobieltje.'

Marjolein aarzelt geen moment. Ze kijkt me weer zo aan, gaat naast me staan, legt haar hoofd tegen mijn kaak, ik leg m'n ene arm om haar heen alsof die daar hoort, steek de andere arm met het mobieltje vooruit en maak een prachtplaat van ons. Overdetop gegil als ze de foto zien en ik ga van binnen compleet uit m'n bol.

De rest is een makkie. Kat in 't bakkie. Ik geef Marjolein haar mobieltje terug en vraag of ze whatsappt of skypet. 'Allebei', straalt ze naar me. We geven elkaar snel onze mobiele nummers en skypenamen, en spreken voor vanavond af. Dan roept de derde dat ze "als een haas naar school moeten, anders zwaait er wat!" Terwijl er bij mij ook wat zwaait, rennen ze weg. Bij de hoek kijkt Marjolein nog even om en zwaait terug. Man, man, mooier kan echt niet, toch?

Aan het eind van de dag kom ik zo opgedraaid thuis, dat ik bijna vergeet waar ik vandaan kom, 'k bedoel waar m'n moeder denkt dat ik vandaan kom. Net op tijd trek ik een museumsmoel en mompel tegen m'n moeder dat die mummies er niet uitzagen.

'Was het verder wel leuk?'

'Nou nee, echt een dooie boel.'

En dan vertelt ze dat ze het weer helemaal ziet zitten op haar werk, zeker nu Henk er voorgoed van tussen is.

Ik ben er niet voor de volle honderd procent bij. Zit met m'n hoofd bij Marjolein. Ze kijkt me aan alsof ik wat moet zeggen. 'k Weet even niet wat.

'Henk?' vraag ik dan maar.

'Ja, je weet wel, Henk.'

Voor mij is het nog steeds vage tjoep.

Ze kijkt me aan, roept "koekoek" en schatert dan van het lachen.

Eén ding is zekerder dan zeker: m'n moeder heeft een heel apart gevoel voor humor. Maar m'n brains zijn weer bezig.

'Oh, gekkeHenk,' zeg ik, 'die dacht dat je alleen was.'

Nou kijkt m'n moeder alsof ik schraal ben.

'Da's tof. Heeft-ie nog afscheid genomen of gezegd waar hij naartoe ging?' vraag ik naar de bekende weg.

'Nee, geen van beide.'

'k Wist het! Van dat stilletrommelwerk.

'Mooi dat die droeve druiloor opgezooid is dan.'

Maar dat is weer goed fout.

'Je hoeft niet zo lelijk over hem te doen. Hij was eigenlijk best aardig, als collega.'

Waarom moet ze altijd van die foute mannen verdedigen? Ik rot me kapot als ze dat doet. Schuif m'n stoel naar achteren, zeg 'nou, dan krijgen we'm vastenzeker ook niet meer als hitsige hijger aan de telefoon' en peer hem naar m'n kamer.

'Alvast wat doen aan m'n verslag over die maffe mummies,' roep ik halverwege de trap.

Ik voeg Marjoleins naam toe aan de contactpersonenlijst om met haar te skypen. Ook al ben ik een tikkie van de vroege, ik kijk meteen of ze online is, en ze is er al! Met haar kan ik praten als met niemand anders. Machtig mooi, man.

Ze zit op het havo. Gaat naar school vlakbij het busstation. Da's makkelijk, want ze woont in een dorpje dichtbij en dan kan ze elke dag met de bus.

Die twee andere meiden zijn haar "hartsvriendinnen". Die kent ze al van voor de kleuterschool. Kun je't je voorstellen? Je zit, met zoveel woorden,

eigenlijk nog in de pampers en je hebt al twee vrien-
dinnen.

Ik vraag: 'Zijn je ouders nog bij elkaar?'

'Niet *nóg,*' krijg ik als antwoord, 'ze zijn gewoon
bij elkaar, al vijftien jaar.'

Dat kan dus ook, "gewoon bij elkaar".

Marjolein is de oudste en dan komen er nog drie
meiden. Ze hebben in dat dorp daar duidelijk maar
één soort.

Nou, ik doe mijn lifestory, maar 'k moet je heel eerlijk zeggen hier en daar een beetje bijgesteld. Aan het
eind vraag ik aan haar: 'hebben jullie een webcam?'
Heeft dat dufhoofd een webcam maar gebruikt ze
hem niet! Zohee, hadden we elkaar lekker kunnen
oogelen. Wat blijkt, ze mag hem niet gebruiken van
haar ouders. Wat zijn die oud, ouder, ouderwets!

'Maar voor mij wil je hem toch wel aanzetten?'
zeg ik. 'Nee, nog niet' krijg ik terug.

Nog niet, kijk dat geeft hoop voor morgen.

De volgende dag heb ik een korte werkdag thuis:
weinig telefoontjes en brieven van school. Dus ik zit
al vroeg startklaar aan de computer. Ik denk: niet
geschoten altijd mis en kijk of Marjolein "beschik-
baar"is. Boffen! Ze is er. Leraar ziek en de vervanger
ook ziek. Da's dubbelboffen.

'Weet je zeker dat het geen ziekenhuis is daar?'
vraag ik en hoor haar zachtjes lachen. Kan ze dus
goed hebben.

'Zet je de webcam even aan?' probeer ik noncha. En ze doet het! Ik heb beeld.

Wat een machtig mooie meid is Marjolein! Zo, ik ga echt hard. We kijken elkaar aan als Leonardo en Kate aan het einde van de film. Maar wij zien elkaar forever, zeker weten. Ze heeft een heerlijk truitje aan. De watermeloenen zijn nog niet rijp, dat zie je zo. Maar, zou Paco de prutser zeggen: 'het heb potentie.'

Ik ben wezenloos van de wap en zeg: 'Als je nou je truitje aan de ene kant over je schouder wegtrekt, ben je precies een fotomodel. Kan je zo op de cover van Cosmogirl.'

Kort antwoord: 'Nee!' en haar webcam gaat uit.

Jahoor! Ben ik mooi de pineut.

'Zit je alleen maar een beetje te dollen,' probeer ik nog.

'See you tonight,' komt er terug.

'Great!' breng ik supersnel, maar toch te laat, want Marjolein is al offline.

Weetje, sommige dingen kan je echt niet weten. Hoe meiden zijn, bijvoorbeeld. Als ik zo af en toe naar school ga, sta ik nu in de pauze altijd bij de ruige meiden. De jongens uit de klas zijn van die natte kranten.

Lachen man, de verhalen die die meiden hebben. Fantastisch. Ze chatten met de hele wereld. En met de webcam op volle toeren. Niks veilig afschermen.

Gewoon open huis. En wie er lekker leuk om vraagt mag alles zien. No problem. Als ze maar wat terugzien.

Laatst had Priscilla "ketaak met een jofele goser", vertelt ze, bleek het een vieze ouwe vent van wel achter in de dertig te zijn! Maakt die halve zool een afspraak met die enge kerel. Ze gaan ergens in de stad wat eten en drinken.

'Nou,' zegt Priscil, 'hij zit met van die grote geile ogen me aan te staren, man, man. En ik zit lekker een end weg te bikken. De duurste dingen. Hij begint knietje te vrijen en ik doe wat met m'n voeten. 'k Eet intussen wel als een net meissie m'n bordje leeg. Bij hem staat z'n tamp zo hoog dat de tafel ervan begint te dansen.'

Om nou te zeggen "dat boeit niet", da's echt niet waar. Iedereen hangt aan Pris d'r lippen.

'Ik kijk hem lief aan en zeg "even naar de doos". Hij knikt met van die natte ogen alsof-ie nu al in extase is. Nou ja,' zegt ze droog, 'ik loop naar het toilet en verdwijn door de uitgang daar. Misschien zit-ie nou nog te wachten tot ik terugkom. Lekker gegeten, joh.'

'Nee, dat meen je niet!' roept de hele meidenclub met rode hoofdjes. En ze gieren van het lachen. Ik ook.

'Ja, Janus,' schatert Priscilla, 'zo hoor je nog eens wat. Maar jou kunnen we wel hebben, hoor.'

En dan doet Marjolein moeilijk over één blote

schouder!

's Avonds is best wel spannend. Maar wa'k net zeg. Vrouwen zijn van die vreemde wezens. Niet van deze planeet. Ik ga online, naar Marjolein. Krijg ik meteen beeld. Zit ze daar te stralen in een strak topje en ook nog eens met geen bh eronder! Begrijp jij't, begrijp ik't. Maar wat is ze allemachtig mooi. Ja, 'k weet het, ik klink als die koekoeksklok die we niet hebben, maar ze is zoooo megamooi, zekerweten. Dat vertel ik haar een paar keer. Daardoor kijkt ze nog mooier. Ik begin haar weer een beetje te dollen en zeg dat dat onder haar topje er ook toppie uitziet. Marjolein weet zo te zien niet wat ze ermee aanmoet. Dus stel ik voor dat ze het even uitdoet. Opslag zegt ze weer 'Nee', en dan: 'M'n ouders zeggen altijd "Je moet ook wat te dromen overhouden". Hebben jouw ouders je dat nooit verteld? Slaap lekker, Djeenus. Droom maar van me. Of heb jij geen dromen?'

Ze kijkt me verdrietig aan alsof ze het antwoord al weet, afscheid moet nemen en dat niet wil.

Intussen schiet ik stevig over de rooie. Wat een maffe muts is ze toch. Dromen! Dat is voor watjes. Dromen gaan over dingen die nevernooit bestaan, zoals klassieke goden. Ze brengen je nergens. Ja, naar de noorderzon of bij gekkeHenkie. Dromen zijn driedubbel dwarsgebakken lucht. Geef mij maar feiten. Daar kan je op bouwen.

Voordat ik haar blokkeer, ram ik het er bij haar

in: 'Dromen? Aan dromen heb je niks. Echt helemaal niks!'

'k Ben zo supergiftig op Marjolein dat ik vergeet aan m'n moeder te melden dat ik ga meuren. Ik kruip meteen in bed.

Later hoor ik haar naar boven komen en op de badkamer rondrommelen. Zou ze daar nog wel eens aan gekkeHenkie denken? Moet er niet aan denken dat die dwaas hier in huis zou zijn, zelfs niet voor één avond.

Dan doet m'n moeder muisstil de deur van m'n kamer open.

'O, lig je al in bed?' vraagt ze zachtjes. (Nee, ik zit in het stikdonker te werken voor school, nou goed?)

Ik voer m'n bekende en meest geslaagde act op: ik doe alsof ik slaap.

Op de drempel staat ze nog even te aarzelen. Ze zal toch niet naar binnen komen om me over m'n bol te aaien en me haar "grote kerel" te noemen?

Met een zucht taait ze traag af naar haar eigen kamer. Ik zucht opgelucht mee achter m'n dichte deur.

6

VERRASSING

Die nacht droom ik heerlijk van Marjolein. We doen alles wat ik aan de webcam heb voorgesteld, en nog meer. Ze moest eens weten! Misschien deed ze dan toch mee. Met vrouwen weet je het nooit.

's Ochtends blijf ik lang nananagenieten van wat ik 's nachts allemaal heb meegemaakt. Het wordt dus weer geen school, bedenk ik lekker warm onder m'n dekbed.

Ai, hoor ik beneden de brievenbus klepperde-klepperen. 't Zal toch geen brief van school zijn? Dat wil ik weten.

Ik loop de trap af met m'n handen alvast in de scheurstand, pak de envelop die op de deurmat ligt. Krijg nou wat! Geen schoolbrief voor m'n moeder, maar een heel andere brief, voor mij. En ook nog eens van verweggistan. Geen idee waarvandaan. Een postzegel met een voetballer, zo te zien in het shirt van AC Milan, en met "Norge" erop. Ik scheur de envelop toch maar open en haal de brief tevoor-schijn.

Sodeju, een dikke brief van die dropdreutel! Wil ik dit? Nee. Wil ik de brief lezen? Dat helemaal niet!

M'n handen beginnen al aan de vertrouwde scheurbeweging met brieven over "het lesverzuim van uw zoon". Dan stoppen ze als vanzelf, zomaar. Nou, niet echt zomaar. Eigenlijk ben ik toch wel benieuwd wat die stille trommelaar na zoveel jaar nog op te hoesten heeft. Dus toch maar lezen dan.

Hoe moet ik deze brief beginnen? Met "Beste Janus" of met "Mijn zoon"? Op de een of andere manier past dat niet.

Hoe kan ik mijn brief beginnen terwijl ik meer dan vijf jaar niets van me heb laten horen?

Laat ik maar gewoon beginnen te vertellen. Daar was ik altijd goed in. Al ben ik dat de laatste tijd een beetje verleerd omdat ik hier in m'n eentje op een eiland zit. Waar? Vlak voor de Noorse kust.

Waarom ben ik bij jullie weggegaan? Dat is een lang verhaal en niet eens boeiend zoals die godenverhalen die je van mij gewend was.

Weet je nog hoe blij je was als ik thuis kwam en je op mijn schoot klom om verhalen te horen? Alhoewel, of je ze zo boeiend vond weet ik niet, want je viel bijna altijd op m'n schoot in slaap. Prachtig hoe je zo stil tegen m'n borst aan zat! Ik bromde dan nog zachtjes een slaapliedje voor je en gaf je vervolgens heel voorzichtig, alsof je m'n eerste kievitsei was, aan je moeder, die je dan even voorzichtig in je bedje legde. Meestal werd je niet eens wakker.

Dus het ligt niet aan jou dat ik wegging, laat dat duidelijk zijn. En hoe gek dat ook klinkt, het lag ook niet aan je moeder. Of misschien een beetje, maar anders dan jij en zij vermoeden, denk ik.

Eigenlijk ben ik weggegaan om mezelf.

Eerlijk gezegd had ik het helemaal niet naar m'n zin in m'n werk. Die goden vond ik geweldig, maar de mensen, zowel m'n collega's als de studenten, ik had er niets mee. Ik ergerde me verschrikkelijk aan hun kouwe drukte en opgeklopte gedoe, kon daar niet aan meedoen, had het gevoel dat ik er buiten stond. Daardoor ergerde ik me steeds meer aan mezelf, want ik kon dat niet, wilde het eigenlijk ook niet, en zij kennelijk wel. En die ergernis nam ik mee naar huis en reageerde ik af op jullie. Zo kreeg ik nog meer de pest aan mezelf. Wat voelde ik me opgesloten en machteloos!

Tussen je moeder en mij ging het daardoor ook niet goed, dat kan je je wel voorstellen. De glans was eraf. Ook seksueel. We hebben nog een paar keer geprobeerd om ons met van die "opwindende" dvd'tjes op te peppen, maar wat een tinneftroep was dat! Resultaat: geen opwinding, maar een nog grotere afknapper. Dus heel snel heb ik die hele voorraad dvd'tjes ver weggestopt. We hebben ze nooit meer aangeraakt. Door dat gedoe kwam de vlam tussen je moeder en mij niet echt terug, dat begrijp je.

Het werd steeds erger met me. Ik begon te schreeuwen, zelfs tegen jou. Dat kon ik uiteindelijk niet meer aan. Toen ben ik stilletjes vertrokken. Totaal ongeschikt om met andere mensen om te gaan, had ik vastgesteld, zelfs de mensen van wie ik hield.

Heb ik er spijt van? Ja en nee. Nee, anders was ik nooit op dit eiland terecht gekomen. En dat heeft me goed gedaan, heeft me veranderd kan ik wel zeggen. Maar dat ik toen vertrok zonder iets tegen jou te zeggen, dat spijt me verschrikkelijk.

Had je verwacht dat ik naar het noorden was gegaan? Of had je gedacht dat ik richting Griekse goden zou gaan?

Hier dus geen Zeus, maar Odin, geen Olympus maar Asgaard, en verder een heleboel elfen, dwergen en reuzen. Maar die konden met z'n allen minstens zo fanatiek oorlog voeren als die klassieke goden. (Begin je alweer slaap te krijgen van me?)

Mijn eiland - nou ja, niet míjn eiland, maar waar ik alleen woon - ligt vlakbij de kust. Echt wat ik toen zocht. Eén keer per twee weken m'n boodschappenlijst mailen naar de kust en de volgende dag er naartoe roeien - of 's winters oversteken met de sneeuwmobiel, met aanhanger - om de boodschappen en de schaarse post op te halen. Verder geen mensen om me heen. Telefoon en internet heb ik dus. Mocht je contact willen - wat ik echt hoop - dan kan je me via het onderstaande telefoonnummer of e-mailadres bereiken.

Ik heb de afgelopen weken een paar keer naar jullie gebeld, maar op het moment dat ik jullie stem hoorde kon ik geen woord uit m'n keel krijgen. Vandaar dat ik deze brief schrijf.

Waarom ik nu naar je schrijf? Ik mis je, steeds meer.

Begrijp me goed, ik probeer zo niet de afgelopen jaren goed te maken. Dat is onmogelijk. Maar ik heb er behoefte aan verantwoording af te leggen aan mijn zoon. En wie weet wat er dan nog allemaal kan.

Ik kijk er naar uit om van je te horen.

Je vader.

Zohee, ik ben echt volledig van de wap. Dat betekent dus dat die snatser geen sextoerist in eigen huis was. En m'n moeder heeft meegekeken! Gatver. Trouwens, als ze dit allemaal las. Een driedubbele keukenrol. Zeker weten. En dan zou ze nooit meer kunnen zeggen dat ik altijd zo moeilijk doe. Nou ja, tuurlijk wel dat ik moeilijk doe, maar dan niet er achteraan zeggen "Geen wonder ..." Dat kan dan niet meer, nooitniet, neverniet.

'k Wil wat die stille wegloper in die jaren verder allemaal heeft uitgevreten toch wel horen. Maar als ik hem bel, kan hij er beter goed voor gaan zitten! Ik heb hem heel wat te vertellen!!